まえがき

「毎日がつまらない」「生きていても意味がない」と嘆《なげ》く人たちがなぜこんなに増えてしまったのでしょう。

それは、私が強く感じ、悲しく思っていることのひとつです。

人間が生きるうえで、意識するべきは〈いま・ここ〉しかありません。いまこの瞬間にどれだけ思いを込めるか。その大切さを、拙著『苦難の乗り越え方』では繰り返し申し上げました。

しかし残念ながら、多くの日本人には、この〈いま・ここ〉に対しての情熱が希薄《きはく》になりつつあるように見えます。「何かになりたい」あるいは「あの人のようになれたらいいな」という本当に漠然《ばくぜん》とした欲望や羨望《せんぼう》は持っているのですが、そこで思考が止まってしまう。日々をただやり過ごしているだけなら、輝く未来などは見つけられません。

人間は、〈いま・ここ〉という瞬間を永遠に旅し続けているのです。未来を創るということはすなわち、未来永劫《えいごう》〈いま・ここ〉を大切に創り続けるしかないわけです。

基本的な衣食住に不自由することのないこの満たされた時代に、「昨日よりも今日、今日よりも明日」と、よりよく生きたいとハングリーに邁進《まいしん》し続けることは、簡単ではありません。なぜなら、現代人は暮らしに対する感謝がありません。与えられるのが当たり前。それで何とかなってしまうと、そこそこの平穏《へいおん》はあっても、胸に思い描くだけで心が高揚《こうよう》してくるような豊かな夢も持ちにくいものです。

そうかと思えば、社会や世相の不安にただ怯《おび》え、ネガティブな未来しか描けなくなっている人もいます。自分の子どもたちに輝く未来を示したくても、率先《そっせん》して手本となるべき大人自身が不信感を招くようなことばかりしています。その結果、現代の闇に、大人さえも手をこまねいて傍観《ぼうかん》しているだけなのです。

本書『未来の創り方』では、少々厳しいことをお話しするかもしれません。まず未来の礎《いしずえ》を築くうえで気づいておかなくてはいけない問題点を申し上げることになるでしょう。しかしどうか謙虚《けんきょ》に受け止めてください。その中にこそ「たましい」の学びがあります。いまこそ、私たちを覆《おお》う闇から立ち上がり、光へと向かう時期なのです。

未来の創り方　目次

第一章　未来とは何か

第二章　未来の創り方

第三章　神の視点

第四章 今日から始める未来創り

装丁・挿絵・本文レイアウト：中島健作（ブランシック）

第一章　未来とは何か

未来は自分で創るもの

未来について、多くの人は非常に漠然《ばくぜん》としたイメージを持っているのではないかと思います。

「私は一年後にどうなっているんだろう」

「十年後、どんな自分になっているんだろう」

予測はつかないけれど、自分のこれから進む時間の先に、何かボンヤリとした〈未来〉のかたちが存在している。そんな運命論者的な〈待ち〉の姿勢でいる人が多いかもしれません。

確かに、安易《あんい》に「未来はどうなんだろう」と予測を立てたところで意味があるとは思えません。なぜなら、未来は、自分自身で決めなくてはいけない行き先だからです。

類魂《るいこん》の法則から言うと、もとは皆ひとつであって、人間はみんな神です。神の天地創造のように、自分自身で未来を創《つく》るしかないのです。自分が創ったものだからこそ、未来は変えていけるのです。

私は、「突然の幸福などというものはない」と思っています。また同様に、突然の不幸もありません。すべてはカルマの法則です。みずから蒔《ま》いた種はみずからが刈り取る。自分自身が幸福になりたければ、幸福の種を蒔くしかないのです。人を幸福にするというかたちで蒔く種もあれば、自然に順応した生活をするというかたちで蒔く種もあります。要するに、自分以外の他者に〈愛〉という種を蒔いていけば、おのずと返ってくるということになります。

逆に言えば、自分に襲いかかる不幸と思える出来事も、もともとは自分自身の蒔いた種であったり、または自分自身の学びとして必要な種だということになります。因果の法則から見れば、困難も自分を成長させる大切なプロセスなのです。

すべては幸せへのステップ

たとえば突然愛する人を亡くす悲しみ。これは〈早くに愛する人を失うという学び〉をカリキュラムに持って生まれてきた、ということです。愛する人を亡くすと、すぐに「これは何かバチが当たったんだろうか」と考える人がいますが、そのこと自体は罰でも何でもありません。ショートステイの人との出会いから学ぶことがある、というだけです。

ショートステイというのは、現世での時間が短いことを意味します。ロングステイは、現世での時間が長い、寿命の長い人生を指します。現世は〈学びの場〉ですから、ショートだからかわいそう、ロングだから幸せ、と簡単に言い切ることはできません。ショートステイの人とロングステイの人が入り交じり、互いに影響し合っていくのがこの世です。

先ほどの話に戻れば、愛する人を亡くした人は、運命の法則によって、ショートステイの人と恋人や夫婦、あるいは親子としての絆《きずな》を結び、ショートステイの人とともに生きる道を選んだ、ということです。大切な人を失って感じたどうしようもない悲しみや寂しさの経験が、その人を他者の悲しさや寂しさを理解できる人間へと成長させていくわけです。

『苦難の乗り越え方』で「苦難とは、みずからが求めた感動である」と私はお伝えしました。つらいと思う〈哀〉の経験も、〈小我《しょうが》〉を〈大我《たいが》〉に変えていくための、つまり、より幸せになるための学びなのです。

そう考えると私たちは、不幸への恐れもなくすことができるのではないでしょうか。

もっとも、そのルールに則《のっと》れば、幸せに関しても、棚ボタや偶然はない、ということになります。すべては必然で、意味のあることだというわけです。私たちは、降りかかった予期せぬ幸運を「ラッキー！」と喜びますが、本当はただ、蒔いた種が伸びて刈り取っただけ。いわば、デパートへ行って自分あてにプレゼントを送り、後日、自分で受け取って「わあ、うれしい」と喜んでいるようなものです。

これが、私が突然の幸福も不幸もないという理由です。

知ってしまうと興ざめしてしまうかもしれませんが、そこはひとつ〝知らぬが仏〟で素直に喜んでおけばいいと思います。ただ実際は、そういうシステムだということをわかっておきましょう。

自分自身が〈人生のテーマ〉

次に、繰り返しになるかもしれませんが、『苦難の乗り越え方』でもお話しした、法則の中での〈宿命〉と〈運命〉について確認しておきたいと思います。〈宿命〉とは、自分自身が現世に生まれてくる時に決めた学びのカリキュラムです。宿命によってあらかじめ決められたカリキュラムは、自分自身が輪廻転生《りんねてんしょう》を繰り返していく中で、小我の部分を大我に変えていくためのものです。人間には、自分にとってのプラスの面、要するに〈神我《しんが》・大我〉と呼ばれる輝く面と、自らの欲望の発露《はつろ》である〈小我〉の面とがあります。この小我を大我に変えていくことが人生のテーマであり、それを達成できたか否《いな》かによって、成長のレベルに応じた環境に再び生まれ落ちるのです。

では、そのカリキュラムはどうやってつくられるのでしょうか。

その答えが、〈アカシックレコード〉です。アカシックレコードとは、過去から未来まで宇宙のすべてが記録されている、たましいの膨大《ぼうだい》なデータバンクのようなものです。そこには、時空を超え、その人のあらゆる意識や思念、情動、感覚、可能性などが克明《こくめい》に残されており、その記録を点検して、次の生への準備をします。

つまり、誰もが生まれ変わる前に、アカシックレコードをもとにして、自分自身の小我を大我に変えるためのカリキュラムを決めています。そのカリキュラムを最大限こなせるように、国や時代、性別、家族、地域などをすべて定めて生まれてくるというわけです。

とするなら、自分自身の存在こそが最も端的《たんてき》に、自己の人生の意義やこの世に生まれた理由を表していることになります。人生のテーマやカリキュラムが服を着て歩いているといっても過言ではないのです。

運命は自分で決めること

アカシックレコードというのはエドガー・ケイシーがよく使った言葉です。彼は、「自分の思い、言葉、行為はすべてアカシックレコードに記録される」と考えていました。

それは類魂の中に存在します。ただ、このアカシックレコードは、定められた宿命だけが記されたものではありません。ありとあらゆる可能性のひとつひとつの分岐点までがすべて記録されていて、右も左もどちらの運命も選べるようになっています。

つまり、寿命のような宿命のカリキュラム、本来変えることができないように見えるカリキュラムも、生きる過程の中で、変わる場合もあるのです。たとえば、私たちがいま生きている環境は非常に過酷です。大気汚染や食品汚染などが何らかの影響をもたらしていて、私たちは本当の寿命ギリギリまで生きているかどうかはわからないところがあります。また、自殺のような断ち切り方をすれば、宿命分の寿命を縮めてしまったことになります。

大気汚染中で暮らしていても長生きする人は長生きします。大草原の空気の澄んだ場所で生きていても短命な人は短命です。そういった意味では、およそみなが宿命通りの寿命の中にいるとは思いますが、寿命ですらそうなのです。まして、人生を大きく変える病《やまい》や、人生を劇的に変える出会いは、この時期にこういったことを起こしましょうと途中で決めている場合もあるのです。

自分の大我が自分を救う

それはとりわけ、小我を大我に変えることの助けとなって表れたりします。小我を大我に変えるためのガイド役になるのが、自分自身がいままで築いてきた大我です。過去の自分の功績が自分を助けているわけです。それは、波長の法則により、良いアドバイザーが現れて乗り越えられたり、奇跡と思うようなことが起きたりするのです。自分自身を助けるのも自分の力です。これもある意味でカルマの法則です。

人はみな未熟ですが、ひどい人間の中にも〈神我・大我〉の部分があります。もちろん聖人君子のような人でも小我をいくつも持っています。さまざまな苦難を引き寄せるのは、自分自身の小我です。〈苦難〉と言ってしまえばつらいものだと思いがちですが、それは小我を大我に変えるトレーニング・マシーンでもあるわけです。

どう未来を変えてゆくか

さて、この本でいちばん考えるべき未来とは、〈運命の未来〉、すなわち自分で変えていける未来です。素材ともいえる宿命の部分をいかに理解し、受け入れるか。未来は、それを知ったうえでどのように料理するかにかかっています。所詮《しょせん》、人間の一生は、長くたって百年かそこらです。長いようで短い。実は短距離走なので、未来は決まっていないとはいえ、おおよその流れはあたりがつけられます。それはその人の個性というか、思い癖《ぐせ》といったものが「こういうものを引き寄せていくだろう」と見通せるからです。

ですが、だからといって寸分の狂いもなくその通りになるとは限りません。それが運命の面白さであり、この本はそのように、未来や運命を意識的に変えていきたいと思う人のためのものなのです。ですから、運命は自分の手にゆだねられていることをまずは理解しておいていただきたいのです。

極端な例を挙げるなら、モンゴルの大草原やシベリアの大平原で暮らしている人を想像してみましょう。大多数の人々には、それほど大きな運命の変化は訪れないでしょう。カルマの法則とかカリキュラムとかいっても、その社会にどっぷり浸かっていたら、ほぼその地域の人々の平均的な人生を送ることになります。しかしそういう場所に生まれた人でも、関取になるために日本に来て横綱まで昇り詰める人もいます。つまり、自分次第でいくらでも未来を変えることはできるということなのです。

日本に生まれた理由

では、いまの日本に生きる私たちはどうでしょうか。日本に生まれたということは、それだけで人生のメニューが複雑になります。多様なチョイスができるということです。特に日本はアメリカからの影響が強いせいか、どう生きるかは選び放題の状況です。選べる自由がむしろ悩みになるほどです。医療行為ひとつ取っても、臓器移植、延命治療、高度生殖医療など、にわかには判断のつかない選択肢が山ほどあります。

それは裏読みすれば、私たちは〈運命を操《あやつ》る〉という課題を持って、いまここにいるということになります。

「運命の法則を操りなさい」

「運命をフル活用なさい」

そうしたカリキュラムが課せられているのです。

ところが、現実には、「何していいかわからない」という人たちがこれほど増えています。

たとえば、恋愛や結婚にしても、「この人と生涯添《そ》い遂《と》げていけるだろうか」というところまで悩みは行かず、「私、恋愛ができないんです」で止まってしまっている人が少なくありません。「人と関《かか》わりたくない」「学校に行きたくない」「働きたくない」と、したくない尽くしです。

私が出演しているテレビ番組『天国からの手紙』では、亡くなった人の想いをご家族にお伝えするということを行っていますが、それを見たファンの若い男性から、「僕の寿命を分けてあげたいと思う」と言われてぎょっとしたことがあります。

一見気高い心根《こころね》で言ったように聞こえますが、違うのです。「僕、生きていてもつまらないんです。なんで、あんなに家族に愛されている人たちが早死にして、僕みたいなのが生きてるんだろう」と本気で言うのです。せっかく生を享《う》けた自分を、平気で粗末にしているのです。

そんな発言を聞くと、いまの若い人たちは本当にフランケンシュタイン博士のつくった怪物の集まりのような気がしてきます。決して悪い子ではないのに、感情が枯渇《こかつ》している人が多いのです。それはとても恐ろしいことです。心がフランケンシュタイン化しているということは、自分の気持ちのみならず、人の気持ちもわからないということです。人と社会的関係を築くことが苦手で、一方通行のコミュニケーションしかできない。幼稚《ようち》ではすまされない自分本位さを感じることがあります。現実と仮想の区別がつかず、自分で考えて行動できていないのです。それればかりか、自分なりの都合のいい妄想にかられてしまうのです。

妄想力ではなく〈想像力〉を養う

〈妄想力〉と〈想像力〉は違います。

いま私たちが大切にすべきものは〈想像力〉です。想像力とは、現実をちゃんと理解したうえでの人生のレシピです。思いを伴《ともな》って努力をし、つくりあげた料理といえます。

妄想力では、行動に努力が伴いません。根拠もなく思いあがり、都合のいい絵空事を描いているだけ。ですから未来にはつながっていかないのです。

いまの若い人たちを見ていると、妄想力だけでコミュニケーションをとろうとしている人が多くなっていると思います。ゲームやアニメをはじめとした、自分が好きな仮想世界のことや、自分の身のまわりの人たちとの些末《さまつ》な出来事でしか物事が量《はか》れない。それらのひとつひとつがバラバラになっていて、自分の中でつながりを持てなくなっているのです。

未来につながる〈想像力〉を養《やしな》うには、まず自分の現実を見なくてはなりません。「いまこれくらいの実力なら、あとこれくらい努力すれば認められるはず」などの、綿密《めんみつ》な計算が必要です。そして自分を客観的に見ること。また、さまざまな先人たちの知恵を知ることです。

読書をする、絵を見る、音楽を聴く、映画を観る。そういった文化に触れることはもちろん、さまざまな人の話を〈その人の置かれた立場を想像しながら〉聞くことが大切です。自分を開いてその中にさまざまな材料を仕入れてゆくことです。

人それぞれ、いろんな人生があっていいはずなのに、自分を殻《から》に押し込めて、妄想力だけを使っている人が多すぎます。妄想は未来に何の力も与えてくれません。ボーッと日々が過ぎてゆくだけです。しっかりと現実を見つめて、そのうえに想像力を広げ、自分が本当に輝ける道に向かって地道に努力を続けることが大切なことなのです。

親の悪い面も分析すること

若い人たちにとても多い現象があります。親との不和や関係の断絶など、親の問題でいくつになっても悶々《もんもん》としている、ということです。思春期をとうに過ぎ、二十代後半や三十歳を過ぎても、ずっと引きずったままなのです。

たとえば、虐待を受けて育った子どもなどがそうです。そうした子どもがまず乗り越えるべきは、〈親の悪いところは悪いと分析すること〉です。虐待を受ける子どもは、叱られるのは自分が悪いからだと思っています。自分がかわいくないから、親にひどく扱われるのだと思い込んでいます。

心理学者は、親を等身大に見て、間違いは間違いだと指摘できるようになることが虐待からのサバイバルの第一歩だと言います。私も一理あると思います。

若い世代に限らず、いまは日本人がみんな精神的な虐待《ぎゃくたい》を受けて育ってきたような状態です。本書で後に詳しく述べますが、〈投資と回収〉を押しつけられて大人になった人たちが大勢いるのです。

しかし、だからといって「あんな親なんて」と感情的になるのは、まだ愛してほしいという依存心があるからです。甘えです。本当に卒業できていたら親の間違いも未熟さも冷静に分析できるものです。

現実の親に、親らしさを期待して理想を押しつけているうちは、子どものまま。一生大人になりきれません。親との確執《かくしつ》を乗り越えるには、親は親である前に一人の人間なのだと理解することです。そうすることで親の弱さも赦《ゆる》せ、トラウマを乗り越えていけるようになります。一人前の大人としての人生を歩いていくには、そのリハビリから始めなくてはいけません。大人になれない人たちが多いのは、それがきちんとできていないからです。

精神の孤児たち

いままでの歴史の流れから見ると、フランケンシュタイン世代は気の毒な世代です。もっと言うと、いまの若い人の多くは〈精神の孤児〉なのかもしれません。『オーラの泉』で、視聴者がいちばん興味を持つのは守護霊についてです。私にはその理由がよくわかります。みな親が欲しいのです。親のぬくもりを求めているのです。目には見えない存在ですが、守護霊がいちばん欲得のない〈たましいの親〉であることを無意識にみな知っているのです。

こんな私でも、私の「スピリチュアル・ヴォイス」公演や講演会に来てくれる人たちは、どこかで私に父親や兄貴像を重ねてみてくださっているのだと思います。結局は父性、母性を求めているわけです。現実に、精神上の親を持つのはとてもいいことです。精神の親とは、尊敬できる存在です。職場の上司に素敵な人がいればその人でもいいですし、面倒見てくれる兄貴分、姉貴分みたいな人がいればそれでもいいでしょう。

ただし、精神の親を持つというのは依存することではありません。親を持って、羽ばたきなさいということです。

依存は、愛されたいという甘えから起きます。愛に溺《おぼ》れ、自分を見失った状態が依存です。

愛されたいという思いは誰もが持つものですが、依存しないようにするためにも、「愛される時は理性を持って愛されなさい」と、私はアドバイスします。

理性を持って愛される

たとえば、人に愚痴《ぐち》を聞いてもらいたいとします。それはいけないとは言いませんが、先に、「愚痴を言わせてもらってもいい？」と頼んでから愚痴りなさい、と言いたいのです。頼まれた人はきっと快く「いいよ」と言ってくれるでしょう。泣きたい時もそうです。「泣いていい？」と頼めばいいのです。そして、最後に「ありがとう」と感謝をする。これが、〈理性を持って愛される〉ためのテクニックです。

どうしようもない寂しさの渦中《かちゅう》にいる時に

「ごはんを一緒に食べてくれる？」

「一緒にいてくれる？」

と、友達に頼むのは、決して悪いことではありません。反対にそれを受け入れてくれない人は友達ではないでしょう。

実は、そういうふうに〈頼める〉のは、〈してくれている〉という相手の愛に気づく感性を持っているからです。感謝ができる人は、相手が自分のために「わざわざ一緒に来てくれた」「嫌な顔せず時間を共有してくれた」と、愛をもらったことがわかるのです。

逆に、愛がない人は基本的に感謝が足りません。傲慢《ごうまん》で、根性が〈何様〉なのです。

人間はちっぽけなものです。誰もがちっぽけです。なぜなら、大病になれば自力では治せません。お天気ひとつ変えられません。きょう一日を生き延びること自体、実は奇跡のようなものなのです。そういう謙虚さがあったら、常に自分のことを「自分は何様だ。そんな恩恵にあずかるような人間じゃないだろう」と思えるはずです。「こんな自分にこんなことまでしてもらって、本当にありがたい」とすべての事柄に対して感謝できるようになった時、人は依存という呪縛《じゅばく》から抜け出せるのです。

大きな〈家族〉の中で生きる

『子どもが危ない！』という本にも書いたことですが、これからは血のつながりの枠を超えた家族を持たなければいけない時だというのが私の持論です。血のつながりにこだわらず、大きな〈家族〉の中で子どもを育てる時代が来ているのです。

私たち現代人は、ある意味で家族づくりに失敗してきました。しかし、もし新しい家族のあり方をつくり直せるなら、それは成功への導きになったともいえるのです。血にこだわり続けるのか、血を超えた家族をつくり直すのか。私たちがどちらをチョイスするかです。

私はたびたび本の中で、引退したベテランの先生方を教育現場に戻しましょうと提案しています。豊かな経験と知恵が、子どもだけでなく、若い先生方の導きにもなると思うからです。

代理母という問題がいま起きるのもそうしたメッセージのひとつだと思っています。自分のお腹を痛めて産んだ子ども、血のつながった子どもだけが子どもではありません。近所の子ども、子どもの友達、親の無い子など、すべて慈《いつく》しむべき子どもなのです。

これからの日本を救うのは疑似《ぎじ》家族、雑居《ざっきょ》家族、そういった〈新しい家族のかたち〉だと思います。虐待を受けている子どもも、肉親ではなくとも親と呼べる存在がいれば救い出すことができます。これを広げてゆくと、未来は明るいのです。なぜかというと、地球全体が家族と思ったら戦争は起きません。殺し合いもなくなります。

そう考えると、血を超えた家族というのは、実は明るい未来に向かう、はじめの一歩でもあるのです。

〈母〉という存在

いまどきのお母さんでいちばん問題なのは、「子どもがいるから私は自由がない」「子どもを育てているから自分の時間を持てない」という考え方です。基本的に母親というのは自己犠牲《じこぎせい》を払わざるを得ない存在です。自分の身を削《そ》ぐように子を産み、時間と肉体を削《けず》って子育てをします。その自己犠牲に反応して、子どもは親を大事にするのです。自己犠牲を払わずに「親を大事にしろ」というのは、とんでもない理屈です。

戦争の時、兵士たちは死に際《ぎわ》に、みんな「お母さーん」と叫びます。「お父さーん」と言ったという話は聞いたことがありません。

なぜかというと、戦時下で子どもはお母さんに負担を全部背負わせていたことを感じとっていたからです。父と母の役割はいまもそう変わらないはずです。お母さんがせっせと子育てをして大変な時に、お父さんはどこかの屋台でお酒を飲んでいるなんて、よくあることです。もし、ちゃんと自己犠牲を払っているお父さんがいたとしたら、間違いなく子どもたちから敬愛されているはずです。

自己犠牲というマイナスがあるからプラスが生まれる。カルマの法則と同じです。自己犠牲という種を蒔《ま》いたから、親を思う子が育つのです。

ところが、いまどきのお母さんはこう言います。

「私は子どもがいるから不自由だ」

「私だって外で働きたい」

そういう言葉を聞くと、私は思わず、

「そうしたいなら、外に出なさい。そのかわりあなた自身は子どもから愛されることを望んではだめ」

と言いたくなります。

すると、フランケンシュタイン世代のお母さんは、「じゃあ女性が働くのはいけないんですね」となるのです。それは話がまったく違います。

私が気になるのは、〈気晴らしのために働きに出ているお母さん〉です。自分の欲望やプラスアルファの贅沢《ぜいたく》のために働くのはいかがなものか、と言っているのです。

うまくごまかしているつもりでも、子どもには伝わってしまいます。母親が何のために働いているかを、子どもは敏感に察知するのです。それが、「子どもたちを食べさせるには夫の給料だけじゃ足りないし」「子どもにランドセルや制服を買ってあげたい」という母性愛から来ているものなら、子どもは感謝こそすれ、一緒にいる時間が短くても「愛されていない」なんて思いません。その上、仕事から帰ってきたお母さんが洗濯もして料理も作って、と身を粉にしていたら、それこそ誰よりも母親を愛するようになります。

未来は誰が決めるのか

未来を決めるのは自分である、と言ってもピンとこないかもしれません。なぜなら、物事はいつも順風満帆《じゅんぷうまんぱん》とはいかず、運命に翻弄《ほんろう》されているような気分になることのほうが多いからです。

では、未来を決めているのは誰でしょうか？

それをより正確に言うなら、己《おのれ》のスピリットと霊的世界とのコラボレーションが決めている、となります。人は自分の人生カリキュラムをクリアしながら、さまざまな夢を描きます。その夢が妄想ではなくて想像力として機能した時、運命のプラグがつながって、未来創造はスピリチュアルな世界とのコラボレーションとなるのです。

鉄道の列車にたとえれば、行き先を決めるのは客車（自分）です。その客車の前に動力車を連結します。それは支配霊（コントロール・スピリット）と呼ばれます。自分自身の人生をコーディネートする役割があるので、〈コーディネーター〉と呼ばれることもあります（イギリスではあまり〈支配霊〉とは言わず、「コーディネーターが云々《うんぬん》」という言い方をします）。

自分自身（客車）の目指す行き先に合った動力車（コントロール・スピリット）が連結されて走り出します。もし険しい山をのぼっていったとしても、動力車が引き上げてくれるのです。

そしてガイド・スピリット（守護霊）の存在があります。だから前にはコントロール・スピリットがいて、後ろにはガイド・スピリットがいて後押しをしてくれるわけです。もちろん自分自身の努力があったうえでのことです。

努力を重ねていって、想像力を持つ。どんなに苦手と思うことでも努力を積み重ねていくと、ある時とたんにひらめいて〈わかる〉ということがあります。技術が上達して、それまでできなかったことが〈できるようになった〉ということもあります。それはまさに、未来にプラグが差し込まれて、コーディネーターやガイド・スピリットとのコラボレーションができている時なのです。

自分をプロデュースする力を持つ

運命を拓《ひら》いていくうえで大切なことは、自分自身が何を求められているのかを理解することとです。自分自身とは素材です。自分はどんな素材で、どう料理すると生きるのか。これが自己プロデュース能力です。

花開いているように見える人は、間違いなく自己プロデュースが上手です。最近は、「あの○○がプロデュース！」というPRが宣伝文句になるようなケースも見かけますが、他人のプロデュース力に頼って人気が出た人は、その分すぐ人気がなくなったりします。ですから、「自分をプロデュースするのは自分しかいないのだ」ということをいつも考えていなければなりません。

自分で自分をプロデュースするということは、そう簡単ではありません。自分を見つめる客観的な目が必要だからです。しかし、自分を客観視する目を持ち、素材を知ると、守護霊からのサポートを受けやすい自分になれます。それも、自己プロデュース力を持つことの大事なポイントです。己《おのれ》という素材がするべきことを理解してこそ、自分の世界をいつまでも長く輝かせることができるわけです。

自分の〈素材〉を輝かせる

宿命の部分ではなく運命の部分であるならば、未来は変えられます。ただ、変えられるといっても、あくまで自分の素材に合う中でのバリエーションになるということです。

たとえば、自分は〈蓮根《れんこん》〉という素材だとします。あなたは蓮根を生かすどんな料理を作ることも可能です。蓮根は、天ぷらにしてもいいし、同じ揚げる料理でも別の食材をはさんで揚げればまた味わいが違います。辛子蓮根も作れますし、サラダにしてもいいのです。でも、素材自体の範疇《はんちゅう》を超えてはダメなのです。

ときどき「私はなぜ蓮根に生まれたのかしら」と言う人がいます。でも、自分をすばらしい素材として愛せない人間には人生の花を咲かすことはできません。

「私はこの素材〈いまの自分〉になんかなりたくなかった」と言うのもダメです。その素材として生まれたということは、なすべきカリキュラムがあったからなのです。

蓮根は大根にもプチトマトにもなれません。そのことを〈不平等〉だと思うかもしれません。確かに、現世的、物質的にはそう思えるでしょう。しかし、素材が〈不平等〉なのは、それぞれの〈個性〉があるということなのです。

そして誤解してほしくないのは、蓮根なら蓮根、大根なら大根という素材の中で、最大限美しい花を咲かせることはできるのです。その努力をすることにおいては、みな、〈平等〉です。

厳しいことを言うようですが、こうした〈素材〉の違いを理解もせず、「無理」「できない」と嘆いている人は怠け者だとしか思えません。想像力、要は人間力がないのです。その想像力の欠如《けつじょ》が自分で勝手に不幸を作り出しているのです。どんな境遇であれ、自分の素材を輝かせることは絶対にできます。

私がよくたとえに出すのは、ヘレン・ケラーです。彼女は、見えず聞こえず話せずという三重苦の絶望的な境遇に生まれ、それでも人生を輝かせることができました。もちろんサリバン先生との出会いは大きい転機だったと思いますが、彼女自身の素材を生かす努力がなければ、あの豊かな人生は成し得なかったでしょう。

受け入れること

病気で寝たきりだとかハンディキャップを持っているだとか、そういう人たちを見て「かわいそう」という人がいますが、それはたいへん傲慢《ごうまん》な話です。ハンディキャップを持った人は、それだけの負荷をかけられる強いたましいなのですから、「かわいそう」ではなく、「自分はまだまだそこまでたましいが成長できていないんだ」と気付き、「強いたましいを持っているんだな」と賛美していくべきです。病気やハンディキャップも、その人のカリキュラムにすぎないのです。何かにつけ、人を「かわいそうだ」と言う人は、レッテルの貼りたがり屋です。逆に、自分が何かにちょっとつまずいたら即、「私はかわいそうだ」と思う人です。そういう人は自分がどういう〈素材〉なのかもわかりません。「この人はかわいそう。私もあの人と比べるとかわいそう」と人と比べてばかりです。

「かわいそうな人」はこの世にいませんが、もし「かわいそうな人」という存在があるとしたら、ただ一つ、自分を受け入れられない人、自分に起きるすべての出来事を受け入れられない人かもしれません。大切なのは〈受け入れること〉なのです。

また、未来を変えられるか否《いな》かのバロメーターは、感謝を持っているかどうかです。あなたは、幸せの数と不幸の数、どちらを数える人でしょうか。不幸の数をかぞえる人は小我の人です。幸せの数をかぞえる人は大我を持っています。何より、大我で生きている人は感謝の数が多いのです。感謝の数が多い大我の人は想像力も豊かといえます。右腕がなくても「まだ左腕がある」。両手がなくても、「まだ足がある」「声が出る」「目が見える」……そんなふうに感謝を保って発想の切り換えができるかどうか。そこが、嘆く人生と活《い》かす人生の分かれ道です。

何か問題が起きても別の何かが「ある」「できる」と思えるなら、失うことの恐怖はなくなります。それは物質的価値観を超えたということです。いつも次なることへ輝けるまなざしを向けられるわけですから。

チャンスかお試しか

人生の中では人や出来事とのさまざまな出会いがやってきます。その出会いにはふた通りあります。

〈チャンス〉と〈お試《ため》し〉です。

両者の違いには、波長の法則が関係しています。

波長の法則とは、自分の心のあり方が出会う人や出来事を決めていくのだ、という不変のルールです。大我から引き寄せる波長はすばらしきご縁を結びます。絶好の〈チャンス〉です。しかし小我は、〈お試し〉を引き寄せることになるのです。

〈お試し〉の極端な例を挙げれば、濡《ぬ》れ手に粟《あわ》の儲け話に乗って損をした、などです。世の中にはちょっと考えれば嘘だとわかる、うまい話にすぐ乗る人がいます。それで失敗をする。冷静な頭脳で考えれば、「こんなわかりやすいことにだまされてしまうなんて」と呆気《あっけ》にとられるところですが、〈楽して得しよう〉という小我が引き寄せて、失敗するのです。自分の行いがカルマとして返ってきたというわけです。

もっとも、騙《だま》し騙されるというようなわかりやすい図式ばかりなら話は簡単なのですが、実際は、大我か小我かわからない時のほうが多いと思うのです。たとえば、知り合ったばかりの相手と気が合い、すごくいい出会いだと喜んでいたら、実はお互いの小我が引き寄せていただけだったということはめずらしくありません。

〈魔〉は〈間〉

〈悪魔のささやき〉とはよく言ったもので、〈魔《ま》〉というのはちょっとの隙間《すきま》でも入ってきます。〈魔〉というのは〈間《ま》〉ではないかと私は思っています。それは隙間の〈間〉であり、さらには守護霊と自分の〈間《あいだ》〉だと思うのです。

守護霊との間ができるというのは、大我ができてないからです。大我ができていないとスキができ、その間に余分なことが入り込んでしまうのです。

私は、〈チャンス〉とはバス交通のようなものだと思っています。人生にはさまざまな行き先のバスがやってきますが、どのバスに乗るのかは、自分次第です。自分で行く先を明確にしていないと、バスを乗り間違えてしまうのです。いま乗ろうとしているバスは〈大我が決めた行き先〉へ向かうのか、〈小我が行きたいだけ〉なのか、ちゃんと見極めることができれば乗り間違えることはありません。

やってくる未来との折り合いのつけ方

未来が実際にやってきたとき、「こんなはずじゃなかった」という思いを抱いた経験がある人はいると思います。

「恋人ができたけれど思ったような人じゃなかった」

「せっかく志望の会社に入ったのに思ったような仕事じゃなかった」

「結婚したけれど、理想の家庭とはほど遠かった」

もし望んでいない結果が出たとすれば、それは間違いなく〈小我〉が引き寄せたものです。

たとえば転職の誘い。自分にとって都合のいい話であれば飛びつきたくなるのが人情でしょう。でも、妙にうまい話には代償がつきものです。玉に瑕《きず》のような、何か交換条件がついてきたりする場合は、その条件も含めてトータルに判断をしなくてはいけないわけです。そうしないと、「こんなはずじゃなかった」と後悔することになります。

一方では、「いままで私は人に騙《だま》されてばかりだ」と嘆く人がいます。一見被害者のようですが、騙《だま》されたのは小我だったからではないでしょうか？ それならば、まったく正当化できません。

すべての責任は自分にあります。〈責任主体〉ということです。のめり込んでしまうのは依存心です。自分を見失った代償は、いつか払うことになります。

とはいえ、物事がうまく運ばないのは、それがまた学びであったりします。もしかしたら新たな幸せの波がやってくる前触《まえぶ》れというか、それを気づかせるための予告なのかもしれません。

ところが、人間はひどく面倒くさがりにできています。

一度乗り越えたハードルを、もう一回同じ苦労をして越えるのがイヤで、失敗した地点で「こんなはずじゃなかった」と立ち止まってしまうのです。しかし、そこでテンションを落としてモチベーションを下げてしまうと、あるいは同じ程度の努力しかしないと、いっそう希望とはほど遠い、雑魚《ざこ》しか捕まえられません。

失恋した後、「あの人が忘れられない」と終わってしまった恋から脱け出せなくなっている人がいます。「あの人はステキだった」「あの人はよかった」と過去にしがみつき、新しい彼ができても「何か違う」となってしまう。

それは実は自分自身の心が試されている時なのです。「それでもあなたはその人を愛せますか」と尋《たず》ねられているのです。百パーセント思った通りの人なんて、この世にはいません。大切なのは、「思ったような人じゃなかった」としても、そこから相手を愛せるかどうかです。

逆に言うと、そんなにうまくいくことばかりのはずはないのです。人生とは「こんなはずじゃなかった」の連続だと思います。恋愛、結婚、仕事、人間関係、お金……思った通りにスイスイ世の中を渡っていけるなら、感動は生まれません。うまくいかないことにはすべて意味があります。それは「立ち戻りなさい」というメッセージかもしれません。うまくいかない時ほど、生まれてきた意味を見直す時でもあるのです。

うまく進むときは大我

こんなはずではなかったの連続が人生だと申し上げました。

実際、小我の目標はあてになりません。「絶対こんな彼を見つけてやる」「来年には結婚するわよ」と、努力したとしても、小我が引き寄せたものは、実りにくいのです。もし目標がクリアできたとしても「話が違う」という不満が絶対に出てきます。

ところが、〈大我〉が引き寄せたものは、どんな障害があっても必ず乗り越えることができます。たとえば私はいまたくさんの著作を出しています。「江原さんの本がこんなに大勢の人に読まれてすごいですね」と言われますが、私自身は不思議でも何でもありません。霊界のメッセージを伝えるという仕事が私のお役目で、大我だと思っていましたから、いつかこうなる日が来るだろうと思っていたのです。

もしこれが小説を書くということだったら、こんなふうには思えなかった気がします。〈小生《しょうせい》の説《せつ》〉ではなく、真理を伝えるということだからこそ確信があったのです。

二〇〇〇年を迎える前までは、日本人はどこか精神をおろそかにしていました。

でも二〇〇〇年を境に、日本人の、もっと言うならば人類の意識が変わりました。私の本が多くの人に受け入れられるようになったのもそれからです。

もし、本当に「思い通りになった」ということがあるとしたら、ただ一点、大我の道しかあり得ません。『大我の仕事をしたい、大我でもって生きたい』と思い行動する、その時には、願いはかなうものなのです。

第二章　未来の創り方

過去を読み解こう

未来を創るうえでは、過去を見つめることも大切です。なぜなら過去は学びの宝庫だからです。自分は何につまずきやすいか。あの時の失敗は何が原因だったのか。そんなふうに過去を読み解くことは、実は自分の小我を読み解くことに等しいのです。

不幸と思うことはすべて小我が引き寄せたものです。その小我にはある種のクセがあります。過去をじっくり見直すことで、それが炙《あぶ》り出されてきます。

『苦難の乗り越え方』にも書きましたが、いままで自分はどういう失敗をしてきたか、〈ノート内観法〉で羅列《られつ》してみるといいと思います。書き出していくと、おもしろいほど一貫したテーマがそこにあります。

たとえばそれはいつも依存心かもしれません。あるいは、打算や見栄かもしれません。いずれにしても、小我のツボというか問題点を垣間見ることができるはずです。

特に意識しなくてはいけないのは、〈動機〉です。そこに小我と大我を分けるものがあります。人をものすごく憎んでいても、あとになれば自分も悪かったと反省することは往々にしてあることです。

すると、そのときのテーマを、失敗した意味さえも含めて理解することになり、失敗に感謝さえできるようになります。つまずきというのはそれくらい、重要なことなのです。

ところが現代では、小我を読み解くどころか、自分の長所、短所も言えない人が増えているように思います。自己分析ができない現代人は問題です。おそらく時間もないのでしょう。朝起きて、あわただしく仕事へ行って、アフター5で楽しんで、帰宅したらメールチェックをし、コトッと寝る。あるいは深夜でもネットサーフィンやメールに忙しい生活。自分ひとりで考える時間が少なすぎるのです。

内観の時間をつくる

つらいとき、悲しいときには誰でも自分の静寂をつくります。「きょう一緒にごはん食べにいかない？」と誘われても、「ありがとう、でもきょうは帰るわ」と静かに内観することを好みます。逆にうれしい時は人はつるみたがりますし、「ごはん？　行く行く。いいお店見つけたの！」と意識は外に向きがちです。

内観をするときにはポイントがあります。〈過去〉と〈現在〉に関しては、〈自分のテーマを知る〉という以上の追求をしてはダメです。失敗したとき、なすべきはその意味を考えるところまで。むやみに失望したり、「あのときああしていれば」とあり得ない夢想や妄想にかられて、気力をなくすなどというのはナンセンスです。

「あのときの自分があったからいまの自分がある」とはよく言われることです。〈いま・ここ〉まで来ることができて初めて、〈あのとき〉を深く考えられるのです。十年を経《へ》て初めてわかることもあります。その時点で深く考えても無意味です。

変化

生きていれば人生は確実に変化していきます。この十年、まったく変化しませんでしたという人は、よほど怠惰だったということです。必ず変化するものなのです。

人生というのは誰しも、波瀾万丈《はらんばんじょう》とまでいわなくても大なり小なりいろいろなことがあるでしょう。だから現状のテーマを知ることが大切なのです。それ以上深く考えず、とりあえず先に進みなさい、と私は提案します。諦《あきら》めたり、まして自殺したりしてはいけません。十年後に決着をつけるつもりでよいのです。結果を焦《あせ》ってはいけません。

死にたくなったときもそうです。「死にたい」と思ったときは、たいていその時しか見ていません。人生のどんな苦難があっても、それが永久に続くということはないものです。ですから、私は「十年待ってみなさい」と言います。昔の人はよく「明日は明日の風が吹く」と言ったものですが、まさにその通り。生きていれば、いつか新しい風が吹くのです。時間が経てば、どんな悩みも違う見え方があるとわかってきて、それが心を強くする肥やしになってくるからです。

結局、自分を「かわいそう」と思う視点が物質的価値観なのです。現世を主体にした「かわいそう」。あの世というたましいの視点で見ていない。たましいの視点で見ると、この世の中の「気の毒」というのは幸いでもあったりするのです。

こういうことを言うと冷たいと思われるかもしれませんが、どんな苦しい状況があったとしても、せいぜい我慢して人生百年です。ふつうは百年もありません。もの心ついてからの六十年やそこらでしょう。

人生は受け入れることが一番大事なのです。この現世こそ〈仮想〉の世界なのですから、もし苦しみがあったとしても、永遠に続くものではありません。「天《てん》に宝《たから》を積《つ》む」という言葉がありますが、たとえこの現世でつらくとも、大我をもってした行動は「天に宝を積む」ことになるのです。物質的価値観で「かわいそう」と思われる人でも、あの世に還ったとき、里帰りの凱旋《がいせん》がものすごく華やかな人もいます。こっちでやたらぬくぬくやっていて、人からは「幸せね」と思われていたとしても、向こうへ還ったときに「ああ、帰ってきたか」という程度のものでしかない人も多いのです。

人生は何が幸福で何が不幸かわかりません。中途半端な人生ほど、テーマが不明瞭でわかりづらくなる。と考えると、むしろ気の毒なのは中途半端な人生を生きることとなのです。

闇を引き受ける覚悟

スポットライトが当たっている人を「うらやましい」という人がいます。しかしそれは、裏側にある闇も含めて言っている言葉でしょうか。これは未来を創るうえで大事なことです。それについて少し考えてみたいと思います。

何事も変化のない平凡な人生と、美輪明宏さんが舞台で演じた『愛の讃歌　エディット・ピアフ物語』のエディット・ピアフの人生を比較してみるとどうでしょう。

エディット・ピアフは、幼い頃からパリの街角で唄い、貧しさをものともせず、世間から認められて世界中から愛された不世出の歌手でした。ですが、その人生は、かの名曲「愛の讃歌」を捧げたボクシング選手のマルセル・セルダンを飛行機事故で亡くすなど、苦難と悲劇の連続でもあったのです。華やかなショービジネスの世界での成功と、数多くの男性との恋愛など、みなさんはエディットを羨《うらや》むかもしれません。しかし、それと同じくらいの悲しみ苦しみを抱えた人生だったのです。

私はよく人生をステージにたとえます。幕が降りて袖《そで》に行ったときがあの世、舞台に立っているときはこの世です。いずれ幕は降ります。舞台袖に戻って「お疲れさま」となったときに、どちらが輝いているでしょうか。『愛の讃歌』には人生のさまざまな教えやメッセージ、含蓄《がんちく》、何より困難を乗り越える〈美〉があります。対して、変化のない人生は暇《ひま》があるがためにムダな心配ばかりして、人生における焦点が散漫《さんまん》になりやすいでしょう。嫁姑問題でモメても、せいぜい「きょうのいじめ方はよかったかしら」などという葛藤《かっとう》くらいでしょう。

ドラマチックであればあるほどお芝居は見る人を魅了《みりょう》します。おそらく演じる役者をも虜《とりこ》にするでしょう。平穏なお芝居はつまらない。主人公の波瀾の人生に憧れるのは当然です。波風のない人生とエディット・ピアフの人生のどちらを選ぶかを考えると、その人のたましいの指向がわかるはずです。

ドラマチックな人生に憧れる人は多いでしょう。しかし、「じゃあエディット・ピアフのような人生がいい？」と尋《たず》ねたとき、最初はみな「いい。うらやましい！」と、言います。物質的価値観で、表面の華やかな部分しか見ていないからです。ところが、「血を吐くような思いをしても？」と尋ねると、尻込みする人が多いのです。

私自身は、たとえ血を吐くような思いをすることになっても、エディット・ピアフの人生を選ぶと思います。毎日毎日丼を洗って近親者の世知辛《せちがら》い悩みに付き合ってゆく生活もつらいでしょうが、ときにはラーメンを食べられる幸せもある人生です。一方、エディット・ピアフは、波瀾万丈でボロボロになりながらも愛と唄をつらぬいて生きていく人生です。

どちらかを選ぶとなったときに、もしあなたが本心から「エディット・ピアフ！」と思ったとしたら、いま現在つらいことがあったとしても、素の自分はそれを受け入れて羽ばたこうとしているのだと思います。

血のにじむような努力をしてはじめて輝く人生もあります。上っ面だけ真似るのは何の重みもありません。ただのレプリカです。

そして、苦しみにはいつか終わりが来ます。所詮《しょせん》、仮想の舞台の間だけなのです。

幸せの定義

多くの人は平穏で幸せな人生を求めますが、順風満帆だから幸福とは、必ずしもいえないようです。ずーっと幸せだったら、幸せの実感が薄まってしまいます。辛いことを体験してこそ、小さな幸せもかけがえのないものになります。

モノだって、手に入らないものが手に入ったとき幸せなのです。苦もなく手に入ったらつまらないと思います。もちろん、手に入れたから一生の幸せかというと、そうではないことは容易に想像がつきます。

女性でも男性でも、「このダイヤさえあれば私は幸せ」「このクルマさえあれば満足」などと、モノを手に入れる幸せに浸っている人がいます。

これさえあれば幸せ、と言っていても、本当に何十年も大事にしているかといえば疑問です。大概《たいがい》、モノはモノを呼び、今度はこれを手に入れたい、次はあれが欲しいと際限がありません。もし本当に何十年と大事にしているモノがあるとしたら、モノ自体に思い入れがあるのではなく、そのときの思い出が大事なのです。「大切な人に買ってもらったものだから」「ビジネスで成功した記念だから」

など、つまり、大事にしているのは本当はモノではないのです。

中には物質的価値観バリバリの人もいます。ふた言めには「高かったのよ、これ」と言う人です。値段が高いから大事。そういう人は、高ければ高いほど幸せなのでしょう。

けれど私は、満たされすぎて自殺した人を知っています。直接の知り合いではありませんが、その人は、働かなくてもいいぐらいのお金持ちで、物質的には何でも得ることができました。そのために働くことに本気になれず、「生きることがつまらない」と言っていたそうです。

そう考えると、幸せの定義は本当に難しいものだと思います。物質的に満たされていれば幸せとは言い切れません。

やりたいことをやる

ただ思うのは、この世の中では、やりたいことをやって生き抜いたほうが絶対幸せだということです。責任主体さえ保っていればいいのです。人に迷惑をかけず、自分の力で口に糊《のり》することができればいいわけです。

好きなことをしている結果、貧乏だと言われても、人の評価なんてかまいやしないではないですか。自分自身の幸せは人には決められません。何が幸せかなんて「ほら」と見せられるものでもないし、人が勝手に判断するものではないのです。

それを安易に第三者が「不幸だ」「かわいそうだ」と言うのも傲慢です。世の中には「かわいそう」と言われて喜ぶ人がいます。それは本心から自分がかわいそうと思っているわけではないのです。本当にかわいそうな人は「かわいそう」と言われると「何がかわいそうだ、バカにするな」となるのです。同情されてうれしいのは、かわいそうな部分の自分を慰《なぐさ》めてくれた、という目配りを感じてなのでしょう。

小我から生まれるのは依存心しかありませんが、責任主体の生き方から生まれるのは大我です。みなが責任主体の生き方をすれば、大我はますます大きなものになっていくと思います。

大我をつくるもとは、実は自立心です。

自立心を持つと謙虚になります。すると、自分の身は自分で守る、という原則に立ちます。「人さまのことまで自分がどうこうできるような器《うつわ》じゃない」と思うはずです。人に対して尊大な態度をとらなくなるのです。

たとえば、いい人面《づら》をして、本当はその人のためにならないのに、お金を貸したり、親切にしたりというようなことも起こりません。それも自分自身の傲慢さだとわかるからです。普通の生活をしている人の場合は、つきはなすことが大我につながることのほうが多いのです。

人は満たされないからこそ想像力が湧《わ》くのです。人生ははかないものだと思うから限りある生を充実させて生き抜こうとするのです。

波瀾万丈を肯定する

私は最近になって、自分の波瀾万丈の人生が大変に幸いだったと思うようになりました。物質的価値観で見たら、もっと波風のない人生のほうがよかったでしょう。しかし自分のような人生のほうが大我が明確に見えてくるから、ありがたいものだと思っているのです。

私は両親を早くに亡くしています。父方の家も母方の家もいろいろ問題を抱えた家系でした。キャッチセールスみたいな変な霊能者の餌食《えじき》になりやすい、「それは血の因縁です」と脅かされそうな家です。

でも、もし両親がいまも健在ならいまの自分はなかったかもしれないのです。教育関係者の多かった家系ですから、スピリチュアル・カウンセラーになどなるわけがないのです。この仕事をやり始めたとき、一族の恥だと言われ、親戚からはずいぶん非難されました。

しかし、「酸《す》いを知れば傲慢にはならず」です。常に醒《さ》めているので、マスコミなどに持ち上げられても驕《おご》りませんし、意地悪な叩かれ方をされても何とも思いません。

もちろんかつては苦しんだこともあります。ですが、必要以上に追及しても始まりません。いまとなってみれば、そのことに目覚めさせてくれたのはありがたいことです。いまの自分につながる道であったと思えます。自分としては、必要なテーマを履修《りしゅう》してきただけなんだな、というだけです。

理不尽と思えるような目にも遭ってきましたが、いまとなっては、知らないで生きるよりも知って生きるほうがいいと言えます。

私に関してさまざまなメディアが世の中に不確かな情報を流布《るふ》していたことで、「こんなふうにインチキな情報がまかり通っていくのか」と、驚かされたこともあります。それを知らないで振り回されている一般の人もいると思うと怖いです。無理解な言葉は世の中にはいっぱいあります。でもそれは知らないだけなのです。真意は自分が知っているわけです。

悪口を言っている人たちも何かのかたちの経験と学びでいずれは知るでしょう。それまでは、わからない人たちに鼻息荒く説明してもしかたがないのです。

ただひとつ言えるのは〈知ることができた自分に感謝〉です。カルマの法則で、正しきものは絶対に生き残ります。理不尽な事柄《ことがら》に心を曇《くも》らせることはありません。正しきものは必ず認められます。知らぬが仏と言いますが、私自身は知らないより知るほうがいいとつくづく思ってしまうのです。

執着の捨て方

執着は、恥じるべきことです。自分の持つ執着をノート法で書き出してみると、ものすごく恥ずかしいことだとわかります。

たとえば恋愛。好きだった人に捨てられたといってその人に執着し続ける人がいます。でも、「捨てられた」などと被害者意識でいつまでもネガティブに考えること自体が、捨てられても仕方のないみじめな行為だということです。別れは苦難ではなく、未来のための学びなのです。にもかかわらず、こだわり続けることがどれほどみっともないことか、想像してみること。きっと立ち直れます。

誰かを憎いと思うことは、依存心なのです。「あの人がこうしてくれると思っていたのに」「私がこうなったのはあの人のせいだ」と相手に責任を押しつけているから憎いわけです。

あるいは、「こんなくだらない人間」と誰かを見下すこと。これも執着です。百歩譲って、本当にその人がそういう人間だとしても、そのくだらない人間に心を奪われている自分もまた、みっともないのです。

執着がいちばんわかりやすいのは、お金のことでしょう。

お金に過分な執着を持つのは意地汚いことです。よく遺産や財産分与の問題で執着の醜い争いが起きますが、そもそも自分が作ったわけでもないお金をアテにするのがおかしいのです。お金が欲しいなら、自分が働いてそのお金を作ればいいだけ。しかも、「僕はお金はいらないんです」と言いながら「あいつがもらうのはずるい」「寄付してもいいけどあいつに渡すのはイヤだ」と言う人がいるのですから不思議です。「自分自身こそが〈大いなる財産〉なのだ」という考え方がないから、目に見える物質にこだわってしまうのです。

もともとお金には〈物霊《ぶつれい》〉というエネルギーがつきまとっています。もし、本当に「ずるい」などと呼ばれる悪貨でしたら、それだけのカルマがついています。物霊というのは細菌に似ていて、自分の体力以上のエネルギーが来ると、お金で解決できない問題が起きたり、ときには病気になったりするのです。

バブル期に成り上がってお金持ちになった人は、今になって全部失ってしまったというケースがあまりにも多いのです。宝くじで大きな金額が当たった人、ギャンブルで大金を得た人……、不労所得を得たところで、結局あぶく銭でしょう。いいように見えても絶対に失いますし、失う以上の負がやってくるかもしれません。分相応がいちばんなのです。自分の働きで得たお金こそが確実なお金なのです。

もちろん人間は誰しも、無菌では生きることができません。清潔に保っていても絶対に菌を持っていますし、いい菌であればそれが逆に自分を強めてくれているのです。いろいろな人生経験を経てこそ、菌が入ってきても保てるだけの土台ができるのです。

働く喜びこそ財産

いまはみんな楽してお金を稼ぐのが好きなようです。それが私には不思議です。「汗水流して働いてこそ」と言われるように、できる限りの努力をして、自分でお金を稼ぐのはいいことです。働くことの喜びはすばらしいものです。

『○○で儲《もう》ける！』といった、巷《ちまた》にあふれるお金儲けのハウツー本を読むだけで儲かった人はいないはずです。お金をいっぱい持っていたら、楽しいこともあるかもしれませんし、何でも買えるのは事実でしょうが、それが幸せとは限りません。もし巨万の富が入ったら一生楽して生きると言う人がいます。私にはそれが信じられません。一生楽して寝て暮らすことほどつまらないことはないと思うのです。

お金持ちになった自分をシミュレーションしてみるとわかります。お金持ちゲームを想像の中で一カ月やってみるのです。すると、贅沢で食べるメニューも繰り返しになってきます。毎日焼き肉を食べて、お寿司を食べて、とやっているとだんだんつまらなくなってくるはずです。自家用ジェット機でデートする、ブランドバッグや高価なジュエリーをたくさん買う……それも想像が尽きて、飽きてくるはずです。ブランドのバッグを幾つも持っていたって、それをいっぺんに持って歩いていたらお笑い草です。

大金持ちを羨ましがっている人に、今週一週間に何を食べたかと聞くと、「そういえば、このあいだすき焼き食べたなあ」など、結構いいものを食べていたりするのです。普通に働いていても、お金を貯めればご馳走《ちそう》ぐらい食べられます。

マザー・テレサは「この世の最大の不幸は、貧しさや病気ではありません。誰からも自分は必要とされていない、と感じることです」という言葉を残しました。これこそ核心をついています。誰かに求められる自分になることが生きる張り合いだと思うのです。

想像力が豊かな未来を創る

怠惰《たいだ》はいちばんの罪です。そして、想像力のなさは最も不幸です。

「離婚したいけれど、子どものために我慢します」という母親がいます。自己犠牲に聞こえるけれど、本当は本人の物質的価値観から来ている言葉なのです。いい学校へ行かせる、あるいはいいところへ嫁に出すのがいちばん幸せだと思っている。そんなことより、いつも不満そうに生きている母親を見ているほうが子どもにとってはつらいということもあるのです。

想像力のある人は生き残ります。私は、離婚など切羽詰《せっぱつ》まった事情を抱えて、子どもも小さくて就職も難しいからと、自分なりに商売を始めて成功した女性を何人も見ています。突然ご主人を亡くされて、女手ひとつで子どもを育てる人もいます。

このあいだテレビを見てたら、日本人男性と結婚した外国人の奥さんとその家族のドキュメンタリーをやっていました。ご主人が亡くなられて、奥さんと六人の子どもが残されてしまいました。しかしその家族は、お母さんは外で働き、いちばん上のおねえちゃんはお母さんがわりにごはんを作り、もっと小さい子どもたちは新聞配達をやって、みんなで力を合わせ楽しそうに生きていました。実際、毎日ネガティブなエネルギーで生きるぐらいだったら、離婚したとしても「夫は死んだ」と考え、一念発起《いちねんほっき》すればきっと何とかなります。

いまさら一人で働いて食べていくのは大変という気持ちはわかりますが、貧乏は恥ではありません。それに、貧乏には期限があります。というのは、子どもが大きくなれば、親の苦労を見て育った子どもは絶対に親を助けます。自分一人で働いて二十万円しかもらえないとしても、何年か辛抱《しんぼう》すればやがて子どもがアルバイトしたり就職して、二倍の四十万円で暮らせるときが来るはずです。二人めの子どもがいたら六十万円です。

私の母親は三十二歳で未亡人になりました。三十二歳で働きはじめて、私を育ててくれました。決して豊かではありませんでしたが貧しいとも思いませんでした。心は貧乏ではなかったからだと思うのです。

昔の親はよく「我慢しなさい、うちは貧乏なんだから」と子どもに言っていたと思います。私の母親も「何を言っているのよ、お大尽《だいじん》じゃあるまいし」が口癖でした。私も、「お大尽じゃあるまいし」と言われると、「それもそうだな」と納得したものです。貧しさをみじめに感じるのは自分の状況を貧しいと思う心なのです。

実際、いまの日本では金銭的な貧乏というより、心の貧乏のほうが強いと思います。

もちろん、病気で働けないというのなら、それはシビアでつらいことだと思います。そういうときは助けてもらうのは当然のことです。行政の補助でも何でも受けるべきです。決して恥ずかしいことではありません。生きようと思えばいろんな選択肢があるのです。そうやって必死に生きていく姿が、学校では学べない教育を子どもに受けさせていることになるのです。

日々の『未来からのメッセージ』の読み解き方リスト

この世に生まれてくるのは経験と感動のためです。「感動する」というとどうしても〈喜〉と〈楽〉だけ考えがちですが、感動とは〈感じ動くこと〉ですから、〈喜・怒・哀・楽〉のすべてを学ぶ必要があるのです。

毎日の生活の中で起こる出来事もそのひとつひとつに意味があります。ここでは何か変化があったときにどのように考えてゆくか、そのガイドを示してみました。

【嫌なことがあった時】

身に降りかかるすべては偶然ではなく必然です。自分自身の波長とカルマの法則が呼び寄せたものです。自分にまったく関係のないことが降りかかったように見えたとしても、よくよく内観すれば、必要なことだったりするのです。

嫌な出来事は、実は〈自分の中にある小我〉を見せつけられる体験でもあります。たとえば、誰かに理不尽なことを言われたとします。もちろん不愉快でしょうが、その体験があるから自分自身が人に対して理不尽なことを言わなくなります。一方、その理不尽なことを自分に言ってきた相手は、理不尽なことを言ったというカルマを背負うことになります。いずれはその人も、理不尽なことを言われ、「ああ、私も前にこんなふうにひどいことをしたな」と気付いて、同じ学びをするわけです。

喧嘩をした不快さや、口論をしたもやもや。それは二度と無駄な喧嘩をしない自分、鬱憤《うっぷん》晴らしのような口論をしない自分をつくるもとになるのです。それを導くのは想像力です。

いじめは想像力の欠如の最たるものです。こういうことをしたら相手がどう思うかを考えられない、フランケンシュタインがやることです。でも、大人の社会にいじめがあるのに、どうして子どもにいじめるなと言えるでしょうか。〃人のふり見て我がふり直せ〃は、いま大人たちが学ぶべき言葉という気がします。

私のステージを見に来てくださるのはとてもありがたいのですが、いくらアナウンスしても、携帯電話を切り忘れる人がいます。ステージの最中に携帯音が鳴ったりします。すると、「誰だろう?」と犯人捜しのような冷ややかな空気が一瞬流れます。もちろん、みんなが楽しみにしている公演中に、うっかり携帯を鳴らしてしまう落ち着きのなさ、判断力のなさは気を引き締めなくてはいけないことです。

しかし、それは鳴らした本人が反省すべき点で、それ以外の人は、「いやね」と思うだけではなく、自分の足元をいつもしっかり見るべきなのです。大切なのは、

「あの人は恥ずかしい思いをして、会場にいるほかの人たちに教えてくれたのね」と、自分を律することができるかなのです。もしそれができれば、すべての人に対して感じるのは〈感謝〉でしかないはずです。

【失恋をした時】

恋愛はそもそも小我なのです。大我のための練習、勉強です。人の気持ちを理解することの学びです。恋愛でもしない限り、相手に好かれる自分になろうとか、相手の気持ちを考えようなどと感性を働かせることはないでしょう。それは小我ではありますが、大切な訓練です。だから、恋愛と失恋を繰り返していいんです。ところが、いまはみなさんなかなか恋愛しません。理由は、失恋することが怖いから。そのことが私はむしろ寂しい気がします。

最近では恋愛を始める前にまず占いに行って、「この人と成就しますか」と聞くのだそうです。「成就しないならどうする？」と尋ねると、「やめておきます」とフェードアウトする。失恋しないという仮定のもとに付き合いたいと思っているわけです。それは相手を愛しているのではなく、自分を愛しているだけなのです。相手はロボットではないのですから、もし彼が自分を愛していないというなら仕方がないではないですか。それで無理やり付き合いを続けてもらったって、ふたりとも幸せになれません。

悲しむというのは人間の感性としては正しいです。でも、悲しむだけ悲しんだら、気持ちを切り替え、「彼は自分の相手じゃなかったな」「もっと自分に磨きをかけなきゃ」と思うことが大事です。失恋してぐずぐず立ち直れないのは、依存心と傲慢さなのです。

もちろん、誰かを愛したことは無駄ではありません。悲しければ存分に泣いていいのです。ただ、本当に相手を愛していたら、相手が離れていくことも認めてあげなくてはいけないのです。自分の悲しみを乗り越えて、相手の幸せを願う。その時、愛は大我になります。

【結婚に悩む時】

結婚に悩んでいる人が増えています。

結婚しないと決めているならそれでいいのですが、「相手がいないから結婚できない」という人が多く、それが私には信じられません。その理由を突き詰めていくと、実は人間が好きではないからではないかと思うのです。自分だけが好きだから、うまく選べないのです。

私はこれまでの本でも、恋愛と結婚は別だと言ってきました。恋愛は、表面的な惚れた、はれたでも成立しますが、結婚とは〈ペア〉になることです。一緒に戦っていける同志かどうか、ともに労働できる仲間であるかどうかが大事なのです。それが結婚の学びであることを、賢明な人はわかっています。

私は、子どもの学校の運動会に応援に出かけることがあります。そのとき、世のお父さん、お母さんを見ると、「恋愛のときはきっとこういう異性は選んでいないんだろうな」と思います。と同時に、「この人たちは結婚という学びをちゃんと理解しているんだな」と安心します。

人間が好きなら必ず結婚できます。愛すべき人は世の中にいっぱいいると、見直してみてください。

【大切な人が亡くなった時】

早くに大切な人と死に別れるのは気の毒なようですが、思い出はこころに深く刻み込まれます。若いときに死に別れてしまった夫婦で、死んだ配偶者を悪く言うような人に会ったことはありません。思い出が美しすぎるからです。

そのように、ショートステイの人と一緒になったというのは、たましいが、より深い愛と自立を学ぶ道を選んだということです。

恋人や夫婦だけでなく、親子でもそうです。私のように、短命だった親を持った子どもは、親をいつまでも尊敬しています。

ところが最近目立つのは、ロングステイの親をどう看取るかという問題です。これは子どもとしてきついだろうと思います。親が長生きだというのは喜ばしいことですが、その分、寝たきりの親のおしめをとりかえたり、認知症になってしまった親を世話したりしなくてはいけないのです。それは〈行《ぎょう》〉です。乗り越えたあとになお、親への敬愛を残せるのかといえば、難しい部分もあるでしょう。

そう考えると、長寿と短命、何が幸せで何が不幸かは紙一重。すべては光と闇なのです。

【感動した時】

真・善・美・愛、人間はこれでしか感動しません。どうして感動するかというと、自分の神我《しんが》が輝くからです。

美しい恋愛ドラマを見て泣くのは、そこに愛があり、愛は神だからです。美しい景色を見て涙があふれるのもまた、そこに美が宿っていて、美は神だからです。美しい音楽を聴いたときに涙するのも、そこにある旋律の美の調和に反応するからです。調和も神です。人間も神の一部ですから、神が宿っているものにしか反応しないのです。道端に落ちている犬のフンやゴミを見ても決して涙しないのです。

人間はときどき自分の中の神様を呼び起こさないと、どんどん奥に埋まっていってしまいます。物質中心に生きれば生きるほど、人は神から離れ、現世の物質の鬼、〈猛者《もうじゃ》〉になってしまうのです。だから自分は神だったのだと確認する作業が必要なのです。

それには涙を流し泣くことです。感動の涙によって、深奥に埋まっていた神様がムクムクとまた顔を出すのです。涙は凍結している蛇口から、水を流して凍結を止めるような役目をするわけです。

もっとも、最近、自分自身が神であることを確認する〈感動〉の仕方には、ちょっと気にいらないところがあります。泣ける映画、泣ける恋愛小説など、泣くことを主流にしているのはイヤらしい。人がいま神に飢えているから神を積極的に出そうとしているのはわかりますが、感動の涙は、強制されて流すものではありません。

【楽しいことがあった日】

試験に合格した、恋が実った、欲しかったモノが手に入ったなどの経験は、楽しいはずです。もっと小さな喜び、たとえば自分の誕生日を友達が覚えていてくれて急に電話をくれたとか、自分が落ち込んでいるときに「お茶を飲もう」と言ってただ一緒にいてくれたなどというのも心が浮き浮きするものです。

これらは、自分が努力して得たこともあれば、努力とは別に、自分が以前蒔《ま》いた種が返ってきていることもあります。

私たちがなぜ〈楽しい〉ことを知るかといえば、プラス（陽）のカルマを知ると、またプラスのカルマを引き寄せたくなるからです。

他者から与えられた楽しみの場合には、そこから人を喜ばせることの楽しさを学ぶことができます。楽しんだことのない人は人を楽しませられません。人を笑わせるのが上手な人は笑うこと自体を楽しむことができます。笑顔、ほほえみは、プラスのカルマを引き寄せます。

楽しいことがあった日は、「こんなに良いことがあったなら、次は嫌なことがあるのだろうか」などと、不安に駆られる必要はありません。そのプラスのカルマを物質的価値観ではなく、たましいの喜びとして素直に受け入れるべきなのです。

第三章　神の視点

〈神の視点〉ノート内観法

『苦難の乗り越え方』では、自分という素材を見つめることの大切さと、〈逃げ〉か〈卒業〉かをジャッジするための内観法について書きました。素材と料理という視点は常に大事なのですが、未来編では特に「〈神の視点〉を創る」ことがポイントになります。

〈神の視点〉はとても大事です。〈自分を守る高次の神〉になった視点で、自分を見つめるのです。そして、神の視点で見た目標達成のための行動をノートに書き出していきます。それが必ず、良き未来をつくる道を照らしてくれるはずです。

だから未来編におけるノート内観法は、〈神の視点ノート法〉と名づけたいと思います。平易《へいい》に言うなら、〈己《おのれ》を知るためのノート〉ということになるでしょう。

〈神の視点ノート〉の活用法

「いま自分はどうしたらいいか、自分が神様になって考えてごらんなさい。自分自身が神様になって自分を見てみなさい」

これは私がカウンセリングをやっていた頃によく言っていたアドバイスです。なぜかといえば、「いい人と出会いたい、でも出会いがない」という人が本当に多かったのです。

そんなふうに嘆く女性に対して、私は、

「ねえ、自分が神様だったらいまのあなたを見て、どういうふうにイライラする？

もっと自分から動かなくちゃ、と思うでしょう?」

と率直に言ったものです。実際、何も行動していなくて、ただ出会いがないと愚痴《ぐち》を言っているだけの人に、新しい出会いなど来るはずがありません。

「じっとしてたって誰も現れやしないよ。神様が本当は『あなたにはこの人と引き合わせてあげよう』と思っていても、あなたが動かなかったら会えないんですよ」

と気づかせてあげ、その後で必ず私はこうつけ加えたのです。

「これからは〈神の視点〉に立って行動をとってごらんなさい」

たとえば、いまあなたは「結婚したい」と思っているとします。

そこで自分が神になったつもりで、あなた自身は結婚したいという目標にふさわしい行動をとっているかどうかをつぶさに見ていくといいのです。すると、神としての自分は、現実の自分に対していろいろ要求したくなるはずです。

「もっと笑顔を持ちなさい」

「積極的に人に言葉をかけるようにしなさい」

「身近な人に、出会いをお願いして回りなさい」

など、かなり具体的な項目が浮かんでくるはずです。

実際、OLさんでいたのです。「どうして結婚できないんでしょう?」と言うのですが、霊視してみると、職場と自宅の往復しかしていないのです。

「あなたを霊視してみても、どこにも寄り道とかしていないでしょう。友達とごはんを食べに行くのも本当にたまにしかないし。職場へ行って、仕事が終わればおいしいパンを買って帰って、家にいるばかりじゃないですか」と伝えると、「えっ、どうしてわかるんですか?」と驚いてはいるけれど、「実はパンを食べながら家にいるのが大好きなんです」と返ってくる。「パンを買うのが、楽しみなんですね」と言っても、「えーっ、イヤだ、恥ずかしい」と、もぞもぞしているばかり。

それでは神様だって何も手助けできません。

いまの時代、「お嬢さん、ハンカチ落としましたよ」と寄ってくる男性は、ストーカーか怪しい詐欺師くらいです。仕事のできる男性は遅くまで働いていますし、節度もありますから、礼節《れいせつ》に則《のっと》った近づき方しかしません。出会いの場がないというのは、特に恵まれていないということではなく、ある意味、現代では当たり前といえるのかもしれません。

だからこそ神の視点に立ち、よりよい未来を求めて「それで出会えると思う？」と自問し、見直してみればいいのです。

神の視点ノート法記入例

1. 自分を俯瞰する。自分が神になった視点で、
自分を見つめる意識を持つ。

2. ノートに創りたい未来のイメージを書き出す。
「恋人を得て幸せになりたい」「独立して会社を興したい」など

3. 自分はそのためにどんな行動を取っているか。
何を努力しているかを具体的に書き出す。

「友人に異性を紹介してくれるよう頼んだ」「資格の勉強を始めた」など

4.「もっとこうすべきだ」という自分への要求や反省点などを書く。
「もっと異性と出会える場所へ出向く努力を」

「そのジャンルでの成功者に注意すべきことを聞く」など

5. 自分がイメージする夢が分相応なものなのか、
夢を描かせているのは〈妄想力〉か〈想像力〉かを見極める。

「エリートとつきあいたいと思う自分は果たしてそれに見合う内容の人間か」

「独立するといっても、不安定さやすべての責任を負うことに耐えられるか」など

6. 困難にぶつかって物事が停滞したときや、反対に、
このまま流れにまかせて行動していいか迷ったときには、
未来のイメージのもとになった〈動機〉を見直す。
「恋人が欲しいのは、孤独を紛らわせたいだけという小我の部分がなかったか」
「会社を興したいというのは、ただの名誉欲なのか、
それとも社会に貢献するという意識があるか」など

7. 小我の部分を反省して大我の部分を育てる意識を持つ。
「愛する人が出来たら、つらくとも共に人生を歩む覚悟を持とう」

「自分がやれることで、社会に貢献し人々を幸福にできる道を探そう」など

8. その大我の部分で、いまできることを具体的に考えてみる。
「無理に異性と出会うより、友人を増やし、自分を磨くことに時間を使おう」

「成功、成功と焦るより、興したい事業の研究を地道に続けよう」など

助言欄

目上の人、先駆者、その道のプロに助言を聞く。できれば3人に。

そしてその答えと感想を書く。

アドバイスを受け入れる

今回の〈神の視点ノート法〉に関しては、自分の思いを整理するだけでなく、〈助言編〉の欄をつくるべきです。夢を叶《かな》えるには、ハードルを乗り越えることも大事ですが、それ以上に他者からの言葉を受け止めることが必要なのです。

たとえば、就職に際して、フライト・アテンダントを夢見ているのなら、現役のフライト・アテンダントに話を聞き、自分はその仕事に向いているかどうか判断してもらうのも意味があります。霊能者じゃないからわからないなどということはありません。その道のプロからすると、向き不向きなどは結構一目瞭然《いちもくりょうぜん》なのです。

「編集者になりたいんです」と言う人もいます。世間的にカッコいいと思うからでしょう。でも、「この人は、編集者という肩書に憧れているだけで向いていないな」というのは、プロの編集者ならすぐ見抜いてしまうものです。

もちろん「あまり向いていないね」と言われても、それは絶対に無理だというのとは違います。ただ、それを越えるよほどの努力が求められるだろうということです。

かのマザー・テレサも、若い時とても不器用で、祭壇のろうそくひとつつけることができなかったそうです。けれども、努力と志《こころざし》によって、後にあれだけの働きをなさったのです。

いまの時代になくなってしまったのは、目上や先駆者のアドバイスを受けることです。チャンスがないというのもありますし、そもそもオレ様体質が強くて聞く耳を持とうとしないというのもあります。その道の先輩に尋ねてみるのは、とても有益で、かつてはごく当たり前のことだったのですが、そんなこともめずらしくなってきました。

そこで、〈神の視点ノート法〉では、こうしたその道の先輩からの助言、あるいは両親やきょうだい、友人からの言葉を、〈助言編〉として一緒に書き留めておくようにしましょう。

それもひとりではなく、複数の人に確かめるとよりいいと思います。その道のプロの教えを受けることはすごく大事ですが、ひとりでは判断を誤《あやま》ることもありますから、二、三人に確かめてみましょう。

では、その三人全員に否定されたらどうするか。自分の中の炎が「どうしても夢を捨てられない」というならば、それでもやりたいんだという気持ちがあるならば、そのときはすべて自己責任でやればいいと思います。果たせなくても良し。それがあとになって、あるいは別のかたちで、花開くこともあります。

その二、三人が判断を誤《あやま》ったらどうするか。これも同じことです。なるときはなります。すべては必然だからです。

最近の平等論の過ちは何かといえば、素材を見ないで平等を考えることです。人はみな平等というけれども、もともと個性のある人間という存在をやみくもにフラットに捉《とら》えると、むしろおかしなことになってきます。

公平さを唱えるならば、私は〈分相応《ぶんそうおう》〉こそがふさわしいと思います。ところが分相応というと、どこか卑下したような、あるいは差別されたようなものとして捉える人が多いのに驚きます。あるいは、物質的価値観で測ったように考える人がいます。「分相応でいろというのは、お金がないからですか」「学歴が低いから分相応でいろと言うのですか」と反論されるのです。

私の言う〈分相応〉は、素材に合った料理法になっているか、またはその料理に向く素材なのかを考えなさい、ということです。自分の素材をわかったうえで、その素材をどれだけ輝かせるかの可能性の意味です。それこそが上滑りの平等主義よりずっと、未来に対して有効です。分をわきまえるということはそれくらい重要なのです。

そして神の視点からすると、守護霊がどんなに導こうが、どんなに守ろうが、間違った方向に行く者の手助けはできないのです。できるものはできる、ダメなものはダメとはっきりしています。蓮根は天ぷらには向くけれど、メインディッシュにはなりません。せいぜいなれたとしてもメインの添えものです。それよりも蓮根としてより美味しく調理できる調理法を探してゆくことです。

雑草的生き方の視点

神の視点を持つことの良いところは、たくましく生きられることです。俯瞰《ふかん》で見ているから、ちょっとした挫折も遠回りも「大したロスじゃない」とわかります。いろいろなかたちの幸福を認める懐《ふところ》の深さが生まれるのです。

相談者の方でいちばん気の毒だと思うのは、いわゆる挫折なしのまっすぐ路線で来てしまった人です。何ひとつ躓《つまず》かず人生を渡って行ければ問題はないのでしょうが、困難が立ちはだからない人生などあり得ません。

ところが、エスカレーター人生の人たちは、ちょっと思い通りにいかないことがあると、それを跳ね返す力がないのです。たとえば職場で配属が変わったことに不平不満を言って、「○○さんと離れちゃった、こんな職場イヤだ」と、それを上司に言って泣きついたりします。お金をいただいている立場であることを忘れて、幼稚すぎるのです。まるで学校と一緒。「○○くんがいけないんです、悪いんです」と担任の先生に告げ口するのと同じです。

これは、いわゆるエリート街道で来た人ほど顕著《けんちょ》かもしれません。とにかく狭い感覚で生きているなと思います。いろいろな選択肢を認められないのです。物質的価値観においては、新卒で一流会社に入れれば、それだけで幸せと思うかもしれません。しかし、たましいの視点においてならそれは不幸せです。

雑草のように生きる。それがいちばん幸せです。温室育ちの花は枯れやすいものです。

いじめられっ子と未来

いじめの問題はいっそう深刻になっています。いじめによる自殺のニュースを見ても、いじめが陰湿化しているのがわかります。しかし、いじめる側も、実は親の愛を感じられない寂しさをぶつけるようにいじめていたりします。いじめる側、いじめられる側、双方に救いがないのがいまのいじめかもしれません。

もしいじめるクラスメイトがいたら、自分ひとりで抱えず、必ずSOSを出しましょう。自分の子どもがいじめられていても同じこと。先生に直接相談に行くなど、改善のためのアピールが大事です。

それでもダメだったら、いじめがおさまらなかったら、転校してしまうのも手です。金銭的に余裕があるのなら、留学する方法だってあります。極端な話、どうしても苦しいなら学校に行かなくたっていいのです。〈逃げる〉のです。その場合の〈逃げる〉は逃げではありません。英断です。〝逃げるが勝ち〟ということもあるわけです。

もちろん、転校や留学をしたところで、それでうまくいくかどうかはわかりません。転校の苦労といじめの苦労ではどちらがいいか、くらいの選択です。新しい学校でもいじめられたら? また替わったっていい。けれど何度も繰り返すようなら、そのときは、あなたの中に〈うまくいかない原因〉があるのかもしれません。よく内観することです。

職場でのいじめも、じっと耐えていなくていいのです。辞めて転職する。そう決断するのも一案です。

自立への不安

新しい旅立ちに躊躇《ちゅうちょ》するのは、実は家族への依存と同じ精神構造から来ているものだったりします。いくつになっても親への恨みつらみが消えないのは、実は親に対する依存心が強いからだと書きました。結局は自立するのが怖いのです。不安だから、いつまでも父親や母親を悪く言う。誰かのせいにしていれば、言い訳になるからです。

少し冷静に考えれば、どこへ行ってもうまくいかないということはないとわかります。まずい蕎麦《そば》屋に入ってしまったとしても、日本全国すべての蕎麦屋がまずいということはないでしょう。努力して探せば自分の口に合ううまい蕎麦屋はあるわけです。それは学校も一緒、職場も一緒です。

ただ、同時に自分自身のいけないところをきちんと見つめなくてはいけません。自分を客観的に見たら、自分の悪いところも見えてきます。百パーセント相手だけが悪いということはなくて、自分も何かうまくいかなくなったきっかけをつくったりしているのです。未来を拓《ひら》くためには、それを正していくことです。

神頼みは未来に有効か

未来を拓《ひら》くうえで〈神頼《かみだの》み〉は、無効です。

『苦難の乗り越え方』では、「神頼みは是か非か」を考えました。苦難はたましいのステップアップの進級試験だから、神頼みは無意味で、自分でどうにかするしかないと述べましたが、未来についても神頼みは意味がありません。神頼みというのは依存というカルマの種を蒔《ま》くことになります。それは結局、〈依存される〉かたちで返ってきたり、さらに深い依存を生んだりと、いい結果にはならないでしょう。みな安易に神頼みをしますが、実は悪しき種を蒔いているのと同じなのです。

しかし、神頼みでただひとつだけ有効なかたちがあります。

それは、〈誓い〉です。

自分の思いすべての決起集会です。

つまり、やるだけのことはやり、あとは誓いと加勢を願うだけというのであれば、神頼みは意味があります。要は自力なのです。自力なくして神頼みをした場合、それはカルマになるだけでかえって悪い結果をもたらすことになりかねません。

自力で生きる主体性というものはまさに人間力にもつながり、明るい未来を築くポイントになるのです。

良い未来を呼び込むイメージ力

実は、良い未来創りには、イメージ力もとても重要です。もちろんそれは妄想ではだめです。未来に対して本当の想像力をかき立てることです。

たとえば、あなたはある職業に就きたいと思っているとします。では、あなたという素材はその仕事に結びつく要素があるでしょうか。どんなにそのための勉強をし、やる気があっても、資格がなくてはダメ、条件が揃わなければダメ、という制限のある職業もあります。それを踏まえること。現実を見定めながら想像することです。

つまり、正しい想像力とは、〈ノート内観法〉ができたうえでないと意味がないのです。自分の素材がわからずして料理はできません。素材がわかってこそ、料理のできばえのイメージが湧くわけです。「どうして私の願いはいつまでも叶わないのかしら?」と思うのは、現実が見えていないということなのです。

神の視点を持ち、素材と料理を理解したうえでないと、未来のイメージはただの妄想になってしまいます。ですから、自分の欲望は大我か小我かというジャッジが必要なように、自分のこのイメージは想像力なのか妄想力かというジャッジも常にすべきです。

「どうしても夢を諦《あきら》めきれません」というのがまことならば、ものすごい努力をするはずです。誰に言われなくても、人の二倍も三倍も努力しているものです。そこまでして叶《かな》わないことは、あとは運を天に委《ゆだ》ねるしかありません。

勉強や練習や経験など実践を積まなくては自信はつかないものなのに、最近は、はなから「自信がない」と言う人がいます。それは傷つくことを恐れるあまりのただの傲慢さです。何でも最初からうまくいかなくてはイヤだというインスタントな物質的価値観です。

神の視点でノート内観法をすれば、自分の夢が妄想力なのか想像力なのかを的確にジャッジできます。どうしても諦められないという場合も、現実に沿って判断すればわかるはずです。何より、三度の飯より好きかどうか。それがいちばんわかりやすい判断法だと思います。

人生に無駄はない

人生に無駄はひとつもありません、と申し上げました。

ただ私の場合はもしかすると、たましいが他の人より節約家なのかもしれないと思うこともあります。

なぜなら、経験を全部役に立ててしまうからです。高校時代はずっとデザインを勉強し、最初に行った大学では彫刻を専門にしました。そのかたわらで音楽をやり、神主《かんぬし》の勉強もしました。仏教の手習いも受けました。いま、それを全部活かして仕事をしています。

美術をやっていたことは、一見いまの仕事と何の関わりもないようですが、いろいろな部分で役に立っています。たとえば自分の舞台をやるときも、「セットはこうしたらいい、こういう色彩がいい」といろいろなアイデアが出てきます。ポスターやチラシなどのプランを、自分自身で考えたりもします。色見本帳も活用できますし、文字のレタリングやフォントの工夫もできます。

本を書くときには、かつて学んだ仏教のことも神道のこともいままでのすべてを活《い》かせます。歌をやっていたことも、いまはプラスになっています。経験を活かすも活かさぬも自分次第なのです。

逆から見れば、何をやっても無駄だったというのは、何よりもまず自分に非があるのだと思います。

冷蔵庫と食材でたとえてみれば、自分の家の冷蔵庫をフル活用できていない状態なのです。家の冷蔵庫にどんな食材が入っているかがちゃんと頭に入っている人は、無駄な買い物もしませんし、どんなに材料が少なくても、工夫して何かが作れます。何か買ったら、それをどう使うのかを考えなくてはなりません。いわば思考の整理整頓をするのです。

ところが、常に新しいものを買い込むのだけれど、それをコロリと忘れて、結局冷蔵庫の中で腐らせてしまう、という人がいます。買ったら買ったきりで腐らせてしまうのは、もったいないことです。そういうタイプの人は、人生を粗末にしているのです。

いままでの体験でも、途中で終わってしまったものを捨てるのではなく保存しておくといいと思います。保存して、いろいろな場面で使えるようにしてみる。経験というものは、どこでどう活かせるかわからないものなのですから。

自分のテンポで進む

もう少し、冷蔵庫のたとえを続けましょう。

大人は経験によって、自分という冷蔵庫の中に、ある程度の素材の備えを持っていると思います。ですが、子どもたちはまだ、蓄えてある素材自体が少ないわけです。いわば、これからスーパーに買い出しに行くべきときで、いろいろ吟味し、経験を高めていく時期だといえます。

そんなとき、親にできることは、本人がやりたいと思ったことは何でもやらせてあげることです。もちろん経済的に許せばですが、子どもの意欲をサポートしてあげるのが親の仕事でしょう。

何かとっかかりができたら、とりあえずやらせてみるのです。実際に経験してみると、本人が「これは違う」と思うものもあるでしょう。そうやって体験入学ばかり繰り返してもいいのです。そのとき親の意識として大切なのは、本人の自主性を養うこと。そして〈回収〉を考えないことです。

よく「うちの子は主体性がなくて……」と言う親御さんがいます。でも、人はそれぞれみなテンポがあります。子どもの成長のテンポもひとりひとり違うのです。のんびり屋の子どもは親にとって歯がゆいものかもしれませんが、〈周囲に合わせて〉習い事をさせようなどとは思ってはいけないのです。自然にさせておくことです。親が先回りして動かないことが大切です。

だいたい親は子どもに、「はい、これ食べて」「はい、早く飲んで」とやりたがります。本当は子ども自身が「お腹がすいた」「お水が飲みたい」と言うまで待つべきなのです。「のどがかわいた、お水ちょうだい」と自分から求めて飲む水だからおいしいし、水を飲める幸せを感じるのです。

日常の小さな選択が想像力の訓練になり、選んだことを自分から「したい」と言わせることが、成長のための訓練になるのです。もし率先して「○○がしたい」と言わない子であるなら、「うちの子は何にも興味がないみたい」と片づけず、そういうところから見直しをしていかなくてはいけません。

ところがいまの親は、何かにつけて子どもをリードしがちです。レストランへ行っても、子どもにメニューを見せて、「○○ちゃん、これ好きでしょう」と、親が代わって選んでしまっています。それは「何をやっていいか自分では決められない子」にしてしまっているだけ。親に「いいでしょ?」と言われると、子どもはあまり「イヤだ」とは言えないものです。

「次のお休みはどこどこに行きましょうね」と、先陣を切って出かけたがる親もいます。一見、いいお父さんお母さんをやっているようですが、結局のところ親の欲を押しつけているのです。「行きたい」「これをしたい」というのがないうちにコーディネートしてしまうのは一種の強制です。これもまた想像力を損なわせることです。

それから、必要以上にものを買い与える親も問題だと私は思います。特にゲームやおもちゃは、最も想像力の欠如を増長させるものです。

いま三十代、四十代の大人が子どものときは、いまほどおもちゃは豊富ではありませんでした。コンピューター・ゲームもなく、おもちゃといっても男の子はミニカー、女の子はお人形といった単純なもの、あとは積み木やレゴブロックです。自分で主体性を持って遊ばないと楽しめないものばかりで、それが創造性を培《つちか》ったともいえます。

私が子どものときは洗濯バサミで遊んだりもしました。洗濯ばさみを長くつなげて電車に見立てたり、クルマに見立てて走らせてみるのが楽しかったのです。

もっと昔の子どもたちは、竹トンボを手作りしてみたり、葉っぱをお金にして買い物ごっこをしたりしたものです。

〈見立《みた》て〉は想像の遊びです。本物に憧れて、工夫するのです。

一方、コンピューター・ゲームはリアルに近づきすぎました。憧れが簡単にリアルなものとして手に入ります。リアルなコンピューター・ゲームは、大人がやる分にはいいのです。なりたかった昔の夢を果たしているみたいなもので、それはそれで楽しいものでしょう。

でも、そうやって何でもコンピューター・ゲームにしてしまうと想像力を失います。おもちゃは仮想のものです。仮想は仮想であるべきです。子どもにモノを与えるときにも、これはその子の創造性に寄与《きよ》するものなのか、摘《つ》んでしまうものなのか、ジャッジすべきです。

小我から大我への気持ちの切り換え方

大我によって導かれた軌跡《きせき》。それこそが、かけがえのない未来を創る道です。しかし、現実には、ある問題を前にしたときの自分の思いや欲望が、大我なのか小我なのかとっさにわからないことも多いでしょう。

大我とはスピリチュアルな愛です。見返りを求めず、人のために尽くす心のありようを言います。小我は自己中心的な愛です。我が身可愛さを優先する物質的価値観です。

ちなみに、未来に目を向けるときは特に、行動の動機が重要になってきます。何をするにせよ、動機は大我でなくてはいけません。何かを乗り切るにも、何かをするにも、小我ではダメです。「仕方がない」という言い逃れは、動機として通用しません。大我に見せかけて小我だった、大我だと思っていたら小我だった、というのはよくあることです。

たとえば、お金を貸す、貸さないなどは端的《たんてき》な例でしょう。貸したものが結局返ってこないで悶々《もんもん》と悩んだり恨んだりするのは、動機が小我だったからです。いい人仮面をやってしまったからです。昔の人は、「人にお金を貸すときはあげるつもりで貸せ」と言いました。それなら大我です。

一方、「お金を貸して」と言われても、「この人はずるずると借金を繰り返すだけだ、お金というものを本当にはわかっていない」と思ったら、「ごめんね、貸せない」とつき放すのも大我です。

大我というのは人の言いなりになることではありません。相手の要求をすべて受け入れることでもありません。「助けて」と言われて「助けられない」と言うことが大我、というときもあるのです。

私自身の動機

私のもとにはいまも、「テレビ出演や舞台の公演もいいけれど、個人カウンセリングをしてほしい」という声が届きます。ですが、私はいま個人カウンセリングを行っていません。それでよく誤解されますが、個人カウンセリングを受けないのは、小我ではなく大我からなのです。意地悪でしないのではありません。テレビや講演、あるいは本でメソッドをお話しするほうが、個人カウンセリングよりずっと多くの人にたましいの真理を伝えることができる。そう思っているからなのです。

個人カウンセリングでは年間でせいぜい千人です。それに、個人の小我を満たすことをいくらやっても広がりもありません。しかし大きなメディアを介すれば、何十万人との対話になるのです。どちらが大事か、どちらが大我か、一目瞭然《いちもくりょうぜん》でしょう。

講演会に行ってこういうお話をすると、後で必ず「わかるけど、でも私は見てもらいたい」と言う人がいます。その場では理解してくださるのに、結局「見てくれ、見てくれ」という小我から抜け出せないのです。

そういった人々は単純で、私に、「テレビなんかに出ているより人助けしたほうがいいでしょう」と言います。しかし、その人が言う〈人助け〉というのは、ほとんど小我を満たすことなのです。

「どうすれば楽に結婚できますか」

「どうすれば楽に儲かりますか」

「どうすれば楽に病気を治せますか」

こうした小我に答えることが人助けでしょうか？

病気は小我ではない、気の毒じゃないか、と思う人もいるでしょう。でも、病気は一夜にしてなるわけではありません。どんな出来事もすべてはカルマの集積です。その人にとっての学びです。病気はもちろん治療していかなければいけないことですが、たとえどんな病気でどんなつらい立場であっても、そこは学びとしては見つめなくてはいけないのです。

私は以前、ある文化人の方から、「江原さん、あなたは人を助けるために生まれてきたんだから、困った人を助けてあげなさい」と言われたことがあります。私も、自分は人の役に立つために生まれてきたという自負があります。しかし、何をもって人助けとするか、だと思うのです。

もう一つ、私が個人カウンセリングから遠ざかっている理由があります。どんなにカウンセリングをしても、それはあくまでも助言にすぎません。私がその人の人生の肩代わりすることはできないのです。それなら、私は、やはり個々の人々がみな人間力を持って生きられるようになるために活動すべきだと考えます。

私がいまやっていることは、秘伝のタレを公開するようなものだと思います。こういう本を読み、メソッドを覚え、大我を学んでもらえれば、それは一生のものになります。自分の中に〈救世主〉を創ってしまうようなものなのです。

第四章　今日から始める 未来創り

これまでの章では、未来を輝かせるためにどう考えるかということを述べてきました。スピリチュアルな法則をこころの奥深くに埋め込んでおけば、岐路《きろ》に立たされたときも幸福への道を自然と選べるようになっていくはずです。

とはいえ、たましいは少しずつ磨き抜かれ、成長するものです。その過程では、どちらが大我か小我か迷うことも多いでしょう。そこでこの章では項目別に、より具体的な処方箋《しょほうせん》を提示していきたいと思います。

自分の置かれている状況に、ピタリ当てはまらない場合もあるでしょう。それでも広義《こうぎ》にとらえれば、きっと何かしらの未来を創るヒントが見つかるはずです。

やりたいことを探し当てる

「何をしたいのかわからない」というフランケンシュタインのような若者が出てきて、どのくらいになるでしょう。「別に取り柄もないし……」と謙遜《けんそん》しているならいいのですが、とことんやったという経験がないから、興味もスキルも中途半端になってしまうのかもしれません。

「わからない」というのは偽《いつわ》りです。埋もれているだけなのです。要は、それを掘り起こせばいいのです。難しいことではありません。小さかったときのことを思い出せばいいだけです。

小さいとき、自分は何をしているときがいちばん幸せだったでしょうか。

たとえば、砂場や庭で土をいじってるのが好きな子どもだったとします。それを思い出せたら、今度は土からいろいろ想像すればいいのです。土いじりが好きなのは、こねることが楽しかったからかもしれません。お菓子職人でもいいし、うどん打ちでもいい。造園や農業も土と関わっていく仕事です。ストレートに、ろくろを回す陶芸家という選択もあります。

〝三つ子のたましい百まで〟と言います。「わからない」という人は、意識的にせよ無意識にせよ、「どうせ無理」「やっても無駄」「絶対稼げない」と自分に言い聞かせ、大人になる途中で好きだったことを封印してしまったのでしょう。

未来のためには、自分に嘘をつくことがいちばんいけません。物質的価値観は嘘をつくります。偽物の自分を作ってしまうのです。

本当は好きなことがあるのに、「食べていかなきゃいけないし」「親の期待があるし」など、人の思惑で自分をゆがめてしまっている人は少なくないと思います。

子ども時代を振り返ると、自分が本当に何をしたいかが見えてくることもあるはずです。

もちろん口を糊《のり》することを考えることも必要でしょう。しかし、責任主体ならば何をやってもいいのです。

自分の夢があっても、親に反対されることがあるかもしれません。しかし、取り立ててリッチでなくても何とか食べていけるのならば、好きな道を選ぶことを親も喜んでくれるはずなのです。親が自分の人生を肩代わりしてくれるわけではないことを肝に銘じてください。もし自分の夢を叶《かな》えて食べてはいけるのに、親が喜ばない場合は、完全に世間体を気にしているのです。物質的価値観です。その場合は無視してかまいません。自立心のほうがずっと大事です。

そうして、自分がやりたいことがわかったときには、今度は想像力を働かせて、素材を吟味し、料理を工夫します。

ただし、基準は、好きなだけではダメです。クラシックのピアニストやバレリーナなど、プロになるには大人になってから始めても間に合わないという職業もあります。現実をちゃんと把握《はあく》しながら、自分に合った道を見つけていくことです。

【必要な考え方】

・子どもの頃に好きだったことを思い出してみる。
・現実を見極めながら、責任主体で行動する癖をつける。

進路

失業率は少しは改善されたとはいえ、それでも「仕事がない」という愚痴《ぐち》をよく耳にします。しかし、本当に仕事がないかと言えば嘘で、少しでも楽に稼げる仕事を選り好みしているだけです。あるいは、一攫千金《いっかくせんきん》で楽ばかり望んでいるようにも見えます。いまの若い子たちは安易に芸能人になりたいと言うのですが、芸能界は本当に厳しい世界です。いじめや足の引っ張り合いはあるし、特殊な才能を持った者同士の熾烈《しれつ》な生き残り競争です。私もテレビに出ますが、芸能人として出たらいまよりずっと大変だっただろうなと思います。

それを承知で、どうしてもなりたいというのであれば、トライするのもいいでしょう。ただ、「どんな人でも笑わせる自信がある」「ダンスだけは誰にも負けない」など、よほど自分が何かに長《た》けているというものがないと、生き残ってはいけません。

いまは何もできないとしても、まずは努力して歌でもお芝居でもレッスンしてみればいいのです。実際にやってみれば、自分はその世界でいまどういう位置にいるかがわかります。つまり、がんばれば何とかなるとか、これはまず無理だとか、自分の力が見えます。そこまで行動すれば、諦めるにしても悔いが残りません。

いまの人は、自分からは何も動かず、頭でっかちに考えてばかりのような気がします。明確に見えてからでないと、動こうとしないのです。だから学校を卒業して、また違う学校に行って……と転々とし、時間稼ぎばかりしています。学ぶことは大事ですが、進路の迷いが消えない人は、まずは社会に出ること。とにかく働いてみることです。

私の公演に来てくれた方で、自分に自信が持てず、いまだニートのままだという男性がいました。厳しいようですが、そのとき私は「働きなさい。怠けるな！」と叱責《しっせき》しました。

道具を買っても、パッケージに入ったままでは役に立たないし、使い勝手もわかりません。包みを開けて実際に使い、活かしていってこそ使い途《みち》が出てくるのです。人間も同じです。行動を起こさない限り、自分の本当の道は見えてきません。自分の進路がわからない人はとにかく働きなさい、ということです。人によっては、わかるまで何年もかかる人もいます。それでも行動することが前進なのです。

こういう仕事がいい、こんな仕事はイヤだという職種の偏見は、物質的価値観によるものです。その偏見は捨てなければいけません。この世の中に仕事で上下はありません。働いて食べていくからにはすべてが聖職です。

たとえば、自分は人と触れ合うことが好きで、ものを作るのが好きといったら、飲食店で働くのもいいではないですか。ところが、物質的価値観の偏見でもって、「飲食業なんて大した仕事じゃない」と言う人がいます。偏見で、実は自分にいちばんふさわしい夢を切り捨てていくのはバカげたことです。そういう思い込みで生きていると、いつまでたっても自分自身が満足できる仕事に就けません。

そこで言えるのは、天職と適職をちゃんと考えてみることです。お金を稼ぐための仕事は適職です。つまり自分の技能の対価です。自分の技能をノートに書き出してみましょう。「計算が速い」「文章を書くのが得意だ」という純粋な技能はもちろん、「行動的だ」「人見知りしない」など性格的な特徴もそれに当てはまります。そのノートを眺めていると、いろいろな仕事が想像できるはずです。

また、その職業の先駆者にいろいろ聞くのもいいでしょう。前の章でも述べましたが、輝くものを持っている人は必ず見抜いてもらえます。

確かに適職は、基本的に食べるための仕事。天職のようなたましいの喜びはなかなか発見できないかもしれません。しかし、与えられた条件の中で何かを学び、たましいを磨く経験ができる場でもあります。新しい地平に来れば、また見える風景は変わってきます。そのとき思わぬかたちで、天職への道が見えてくることがあるかもしれません。

【必要な考え方】

・自分にできること、得意なことなどをノートに書き出す。
・自分のいる位置を確かめながら、先達の意見を聞くなど、実際に動いてみる。

出世

出世はひとつの物質的価値観です。そのため、スピリチュアルな世界から見ると、出世は悪いことなのではないか、出世をしてはいけないのではないか、と質問されることがあります。

お答えしますと、べつに出世をしてもかまいません。会社での地位が上がること自体にいい悪いがあるわけではないからです。でも、出世に感情を入れると、小我になります。そこだけ気をつければいいのです。

出世の良さは何かといえば、自分で主導権を握り、率先して仕事ができること。それからお給料が上がること。この二つです。

ですから、疑心暗鬼や嫉妬など、変な感情を入れずに淡々とこなせばいいのです。変な感情を入れると、出世は〈競争〉になります。すると勝ち負けは避けられなくなり、負けたときには落ち込んだり、人を嫉《ねた》んだりします。しかし、淡々としていれば負けはありません。目は未来に向くだけ。「次はまたがんばって給料を上げよう」と常に前向きでいられます。

何事も、腹六分がいいのです。仕事は人生のすべてではありません。私たちは生きるために仕事をしているのであって、仕事のために生きているわけではありません。もちろん、仕事には競争や収入など物質的なこともついて回ります。けれども物質的なことには腹六分、事務的でいいのです。

世の中には、いまの自分の仕事にやりがいなんてないと思っている人もいるでしょう。その場合は、適職は腹六分にして、自分のたましいの喜びとなる〈天職〉と思えることに思いを込めましょう。適職にかなり天職が混じっているという人もいるでしょう。けれどそれはとても稀《まれ》なことです。

事務的に徹すると、かえって出世の道が開けることがあります。周囲から請われたポジションで、人のために仕事をするわけですから、そこには大我があるのです。淡々とこなしていると「あなたはよくがんばっていたものね」「努力が報《むく》われたね」と、周囲が認めてくれます。そこで「恐れ入ります」と謙虚にしていれば、やっかまれたりすることはないのです。

出世を変に当て狙っていると、顔に出ます。出世したときに、「よし、オレの番が来たな」といやらしい含み笑いが見えてしまうのです。そうした小我が見えると、嫉妬されたり引きずり下ろされたりします。

物質界のことに関しては極力淡々とこなして、感情を込めないことです。理性だけで良し。あとは、地道にコツコツやっていれば認められるはずです。

ここでも、「気は使うな、気は利《き》かせろ」の精神は同じです。職場で求められている行動を積極的に行い、気を利かせてやっていけば出世します。上司や同僚に媚《こ》びへつらい、気を使ってばかりの人間は伸びづらいでしょう。気を使うのは、悪く思われたくない、いい人に見られたいという自分がかわいいだけの精神です。そんな心構えでは、たとえ上司に気に入られたとしても、同僚や部下からは敬遠されるかもしれません。万人から喜ばれるには、気を利かせることです。

【必要な考え方】

・仕事へは腹六分で向き合い、自分が求められている役割をきちんとこなす。
・変な気遣《きづか》いは無用、周囲とは気を利かせて接する。

転職

〈転職貧乏〉という言葉があります。転職を繰り返した挙げ句、最初にいた職場よりお給料も労働環境もずっと下になってしまう状態を指します。転職に失敗してしまうのは、自分のやりたい仕事をさせてもらえないから、職場の居心地が悪いからと、結局〈逃げ〉で転職した人が多いからなのです。どんな大義名分をつけたところで、人のせい、会社のせいにしているうちは所詮《しょせん》逃げでしかありません。

逃げは負の波長を呼びます。一度転職して失敗したときに、その体験から何も学ばなければ、その負を背負ったまま次の転職をすることになります。すると、次も同じような結果になるでしょう。一つめの職場は上司とウマが合わなかったから辞め、二つめは仕事がルーティーンワークだったから辞め、三つめは……とメニューは違っても同じ質の逃げを繰り返していては、望ましい未来から離れてしまう一方です。

まずは自分がその職場でどのくらい貢献しているか、客観的な目で判断してください。冷静に見て、その職場での自分の責任をクリアしていると思ったときに初めて、「よし、次のステップだぞ」というポジティブな転職になっていくわけです。あるいは、「いろいろ検討してみたけれど、やはりいまの職場は自分には向いていない。どんな結果になっても自己責任だ」という覚悟で辞めるなら、「思い切ってよかった」と思える転職になるはずです。

しかし、世間のおおよその人たちは、そこまで熟考して転職する人は少ないでしょう。男性も女性も食べるためだけに働いてると思ってる人のほうが、多いのではないでしょうか。もう少し詳しく言うならば、男性は帰属意識が強いから、何者であるかという自分を保つため。女性はもう少し割り切って、お給料がいいとか通勤しやすいなど、現実的なことが理由になっている気がします。男性は自己暗示をかけないと自分を保てないのです。典型は「オレがいなければ」という空回りの責任感です。会社なんて、誰かがいなければ他の誰かが代わってやるのに、「自分が、自分が」という気の毒な自己暗示に引きずられてしまうのは圧倒的に男性でしょう。極論すれば、「あなたは会社の駒です」というわけですが、それは言わずもがなのことです。

【必要な考え方】

・自分の会社への貢献度をチェック。
・逃げの転職でないかを確かめる。

結婚

結婚という未来を考えるとき、まず心に留めておいてほしいことがあります。結婚は、したい人だけがすればいい。したくない人間はしないほうがよい、ということです。

ところが、これが案外わかっていないのです。もし本当に結婚したいのであれば、自分が神様の視点で自分はどういう行動をすればいいか考えればいいだけです。

にもかかわらず、結婚していないことを「いい出会いがないから」「恋人はいるけれど結婚向きの相手ではない気がする」と言い訳するのは、本当は結婚したくないからなのです。「ちょっと付き合ってもすぐダメになる」という人も、本当は結婚したくないのです。基本的に人間嫌いなのでしょう。その深層心理がわかっていない人が多いです。「どういうわけか、うまくいかなくて」と言うけれど、実は本人の意識が自然とそういう結果を導いてしまうのです。

結婚に関して、愛する人とは小指と小指が赤い糸で結ばれているなんて、ただのおとぎ話です。スピリチュアリズムではそれはあり得ません。結婚は宿命ではありません。運命です。

もし赤い糸でたとえるならば、誰もが赤い糸のぶらさがっている釣り竿を持って生まれてくる、というほうが近いかもしれません。それで運命の相手を釣ればいいわけです。

ただ、楽して釣ろうと思ったら近場のハゼしか釣れません。でもみんな、どうせなら鯛がいいと言います。「それなら、鯛を釣れるだけの沖に出なきゃいけないよ」と私が諭《さと》しても、ただのジョークだと思われてしまうのが残念です。沖に出るとはどういうことなのか、わからない人が多いのです。

もし鯛が釣り針に引っかかったとしても、今度はそれを釣り上げなくてはいけません。それには、人間力や生活を切り盛りする手腕が求められます。料理の腕なども大切でしょう。現実を見据えてからでなくては鯛など釣れないのです。

ひとつ例を挙げましょう。

相談者の女性が、「エリートと結婚して海外で暮らしたい」と言うので、「あなた、着物の着付けできるの？」「お花できる？」「英語は？」と聞いてみました。すると、何一つできないと答えるのです。「じゃあエリートと結婚して海外赴任なんて無理じゃない？」と率直に言ったら、その女性は泣き出してしまいました。

これを読む読者のみなさんも、私が意地悪をしたと思うでしょうか？　私は彼女をいじめたかったわけではありません。でも、現実を見てほしくて厳しいことを言ったのです。「ほら、自分の心の中をよくごらんなさい」と自分の心の未熟さを見せただけなのです。

もちろんあなたが絶世の美女であれば、家事や日本女性としてのたしなみが何もできなくても、「あなたの器量がかわいいから」「とにかく好きだから」とプロポーズしてくれる男性もいるかもしれません。

しかし、普通に考えれば、鯛を釣るということは、鯛を釣れるだけの道具を持っていなければいけないのです。そうでなければ釣り合わないのです。釣り合わない結婚は後で不幸が来ます。結婚は分相応がいちばんです。だから、自分という器をちゃんと見ることです。

ただの美人はそれだけに固執しているといずれ飽きられます。知的な会話が成り立たないと、年々ボロが出るのです。外見も、シワも出てきて皮膚はたるみ、若いときにどんなにかわいくても中身がなければ醜くなります。そのくらいの想像力は持ってほしいのです。

もっとも、鯛を釣っても料理の腕が未熟であれば不味《まず》くなります。釣ったのはハゼでも、料理の腕がよかったら絶品になります。料理の腕とは何かといえば人間力です。経験と感動をいかに多く積んでいるかが人間力を磨くのにいいのです。もちろん美人は悪いことではありません。ただ、美人は努力しないケースが多いのが問題です。美人は持って生まれた天性のもの。努力して得たわけではないのです。プラスアルファは自らが創らなければならない、ということです。

結婚というのはお互いに学び合うための仲間づくりです。一緒に長い旅をするような、長く一緒に歩んでいける相手であるか、ということが大事です。

【必要な考え方】

・自分が本当に結婚に適しているか分析する。

・自分の理想の相手と自分が釣り合うかを冷静に考えてみる。

性

カップルにおいて、セックスは大切なコミュニケーションのひとつです。それだけに、セックスの相性がよくない、パートナーに性的魅力を感じなくなった、行為そのものが苦痛だ、など、性の悩みは尽きません。

それが高じて、セックスレスにでもなろうものなら、もしどちらかがセックスを重要視していた場合、ふたりの関係性にも何らかの影響が出てしまうかもしれません。

しかし、長い目で見れば、いつまでも若い頃のようなペースでセックスはできませんし、夫婦生活において最後に頼りにすべきは〈心〉です。セックスがすべてだったら、もし事故などでどちらかが下半身不随にでもなったとき、関係は終わってしまいます。

結婚は、大我の愛がなくては続きません。お互いを尊重し、譲り合い、手を取り合っていくことが大事です。それは、日常も、性生活も同じです。

最近はカップルのセックスレスが問題になっていますが、淡白同士ならそれはそれでうまくいきます。妻は夫に嫌々合わせていたつもりだったけれど、よくよく話し合ってみれば、夫も無理してがんばっていた、というケースもあるのです。

パートナーとの未来を考えるなら、セックスについて我慢しないこと。正直な気持ちを語り合うことです。


【必要な考え方】
・正直に性の悩みを話し合える関係を築く努力をする。
・夫婦関係で大切なのはセックスより心、といま一度感じてみる。

離婚

離婚そのものがタブーというわけではないこんな時代にも、まだためらう人がいます。夫への愛情があるからというのではなく、「別れたら生活できないから」という情けない理由で結局戻っていくのです。

女性は、熟年離婚して女きょうだいと暮らすという人も多いです。そういう方法もあるのですから、「生活できないから離婚できない」というのは言い訳だと思います。結局、子どものためだとかいろいろ理屈をこねて、物質的価値観を引きずっていたわけです。それに対する恨みつらみは増幅する一方で、熟年世代になっていよいよ年金がもらえそうだからと離婚を考える。そういう打算がいやらしいのです。

結婚は、物質的価値観ですると失敗します。〈永久就職〉という言葉もずいぶん聞かなくなりましたが、それこそ職場に勤めるような気持ちで家庭に入る人がまだいるのでしょう。だから退職金をもらえる年になったら、退職するように離婚したいのです。

本当に離婚したいと思ったら、それは離婚するべきです。嘘をついて生きていくのはカルマになるからです。でも、食べていくために結婚したのだとしたら、ハウスキーパーになったつもりで徹するべきです。ハウスキーパーは、雇い主の悪口は言いません。雇い主の頭の上であぐらをかくようなハウスキーパーになってはいけません。「私はハウスキーパー」と割り切ってやることです。その場合は熟年離婚も必然でしょう。

ただ、考えてみてほしいのです。ハウスキーパーと割り切ってまで妻の座にしがみつくのは、子どもから見て尊敬できる母親でしょうか。

男性は、妻から熟年離婚を切り出されてがっくりくる人が多いようです。妻は虎視眈々《こしたんたん》とそのときを狙っているのに、自分のところだけはそんなことにはならないと思っているからおめでたいのです。想像力がないのです。

特に団塊の世代は、若いときには体制に反抗していたけれど、いまはむしろ前時代的な封建的価値観を引きずっている人が目に付きます。都合のいいところだけ受け継いで、空威張りしていたら、妻に逃げられるのは当たり前でしょう。

私も、本当の幸せを考えたら、一人で気ままに生きるのがいちばんではないかと思うことがあります。そこそこの経済力があってお友達がいて、老後はグループホームで仲間と触れ合いながら趣味に打ち込んで楽しく暮らす。それはひとつの幸せのかたちでしょう。

ですから結婚するときは必要以上に離婚を恐れないことです。

友達ですら、出会いがあれば別れが来ることもあります。一生同じ人と結婚しているほうが奇跡です。そう考えれば、結婚も一日一日がどれだけ貴重かわかるはずです。

【必要な考え方】

・子どものため、経済的な理由で、などと言い訳せず、自分の本心を見つめてみる。
・離婚するしないにかかわらず、決めた道のために努力をする。

恋愛

最近よく聞く悩みに、なかなか恋愛ができない、いい出会いがない、というものがあります。しかし、恋愛は実は相手がいなくてもできるものです。たとえば片思いもりっぱな恋愛です。ただ、勇気がないだけの片思いというのはよくありません。妄想癖で終わらせず、実際の恋愛に飛び込んでゆくことが必要です。

なぜなら、恋愛は人を見る目を養ういちばんのチャンスだからです。女性なら男性、男性であれば女性を見る目を養う格好の場なのです。

恋愛は感情的なものの学びばかりではなく、異性を知る勉強、人を愛する勉強でもあるのです。恋愛以前に気軽に話のできるボーイフレンド、ガールフレンドをたくさん持つべきです。

恋愛が苦手という人に限って、同性同士でつるんでいることが問題です。それでは人間性も広がらないからです。選り好みばかりして恋愛しないより、まずは恋愛手前の関係でもいいので、異性に慣れることから始めてください。

【必要な考え方】

・まずは片思いでもいいので、恋愛モードを維持する。
・異性の友人をつくる努力をしてみる。

別離

男女の別れについては、「別れどきかしら」と悩むこと自体、別れどきが来ているのだというメッセージでしょう。気持ちは冷めているのに、「他にお目当ての彼もいないし、まだ別れなくてもいいか」というのは小我です。打算でしかなく、不純です。関係を続けてもいいことはないはずです。

女性には、別の彼が出てきたら乗り換えようと思う人が多いのですが、しかし、そんなだらしない気持ちを持っていたら、新しく登場した彼も所詮《しょせん》そういう男です。二股をかけたり、新しい彼女ができたらさっさとそちらへ行ってしまうような身勝手を平気でします。つなぎで恋愛するような小我は、カルマとして返ってきてしまうのです。だから恋がうまくいかないのです。

もし、いままでの恋愛で、そういう失敗を繰り返しているなら、「もう私は恋愛を変えたい。こんな失敗を連鎖させたくない」と思うはずです。流れを変えたければ、いったん枯渇《こかつ》させることです。新しい彼が現れないうちに前の彼との関係を清算しなくてはいけません。いったんフリーになって、エネルギーを入れ替えるのです。そうすると新たな出会いを得て今度は本当にうまくいきます。

ひとつの恋愛が終わったら、いったん自分をリセットしてひとりの女の子に戻りましょう。それと、必ずリハビリ期間を持つことです。恋人がいなくなって寂しいからと、すぐに渡り歩いていくのはいい結果を生みません。

なぜなら、別れた直後ではまだ前の恋人のオーラが付着しているからなのです。私の知り合いで、すごく年上の男性と付き合っていた女性がいました。若い恋人が現れて、年上の彼とは別れたのですが、その頃の癖が出てしまうのです。たとえば食事に行くのでも、年上男性はリッチなレストランやお寿司屋さんに連れていってくれたでしょう。でも若い恋人とはカジュアルなレストランや回転寿司です。それを「私、こういうところイヤ」と平気で言ってしまうのでは、関係がまずくなってしまうのは当たり前です。

大我から見て別れたほうがいいときは別れる。そして、いったん枯渇させて、リハビリ期間を持ち、そこで初めて新たな恋に向かうのです。それが恋愛のいい流れのつくり方です。

【必要な考え方】

・つなぎの恋人をつくらない。
・恋愛が終わったら、リハビリ期間を設ける。

過去の恋愛

恋愛が終わって、すぐさま気持ちが切り替えられないのはわかります。まして、自分から決めた別れではなく、相手から切り出されたのであれば、未練もひとしおでしょう。それで、昔の恋人が忘れられない、自分の中で見切りがつけられないという人がいます。

でも、過去の人を忘れる必要はありません。みんな「忘れたい」と言うけれど、忘れられたらおかしいでしょう。きれいさっぱり忘れるなんて、本当は好きではなかったということです。

ですから、まずは、昔の恋人のことは普通は忘れられないものだと思ってください。しかし、大事なのは〈思い出〉に変えること。終わってしまった関係を、いつまでも現在進行形の恋にしていてはいけないのです。

実は未練は、短い恋愛のときほど強いかもしれません。ショートステイの夫に先立たれて、その人以上のパートナーなんて現れないと感じるのと一緒です。短い期間のいい思い出ばかり残るので、忘れられないのです。むしろ、長く付き合ったカップルは別れたときに未練が少ないと思います。お互いに十分な学びをその関係から得たと感じられるので、後悔がないのです。

昔ダメになった相手とは、八〇パーセントから九〇パーセント、復縁してもダメです。飲食店と似ていて、前に入っておいしくなかったけれど、「もしかしたら今度は」と思って入ってみることがあるでしょう。でも、食べてみたらやはりおいしくなかった、というのはよくあることです。

いわゆる焼けぼっくいに火がついて、うまくいったというのは稀です。でも、もしそうなったら、それは以前付き合ったときはお互いがまだ幼稚で、思いやりが足りなかったから失敗したのです。それは本当の別れではなかったので、やり直してみたらうまくいったのです。

いずれにしても、「昔の彼（彼女）が忘れられない」と言い訳して、新しい恋を億劫《おっくう》がっているなら、それはただの横着です。もっと大きな魚を釣りに、沖に出て行くべきなのです。

【必要な考え方】

・昔の恋を忘れる必要はない、思い出に変えていく。
・別れたのは自分たちの未熟さだったかどうかを見極める。

恋から愛へ

本当に愛し合っているなら、恋愛から結婚には自然に移行するでしょう。しかし結婚を意識したときから、恋は大我に変えていかなくてはいけません。ただ好きだ、惚れたで浮かれていていいのは恋愛のときだけです。結婚に向かうなら、生涯をともにし、一緒に力を合わせて金山を掘るようなパートナーとして協調し合っていかなくてはいけないのです。

恋を育てたいなら、そういう意識を持ちましょう。やがてふたりで金山を掘り当てる覚悟ができたとき、よりすばらしいパートナーシップで結婚を迎えられるはずです。

【必要な考え方】

・一緒に力を合わせる誓いを立てる。
・惚《ほ》れた腫《は》れたの高揚感より、パートナーシップを意識する。

容姿

人は容姿に自信がないと、恋愛に臆病になるようです。確かに、美人や美男子は異性からちやほやされやすいでしょうが、見かけが美しくないからモテないというのはただの思い込みです。太っていたって、整った顔立ちでなくたって、幸せな恋愛をしている人は大勢います。

では、何が問題なのかといえば、心根《こころね》です。「美人になりたい」と思うなら、美人の心の意識を持つことです。自分の持っている造作の中でも最大限にきれいになることができるのです。ひねて「どうせ私は」となると、〈どうせ〉のネガティブなオーラが出て、「どうせ私は」のつまらない顔になります。たとえ造作が美しくても、この〈どうせ〉という捨て鉢さがあると、きれいには見えません。

きれいになりたいなら、美しい人としての意識を忘れないことです。心の中に美しい人が住んでいれば、外側も自然とそうなっていくのです。

【必要な考え方】

・「どうせ私は」のオーラを出さない。

・心に〈美人〉を育てていく。

親友

それなりに親しい友達はいるが、〈親友〉が欲しいと言う人がいます。確かに親友が欲しくない人はいないでしょう。しかし、〈親友〉の定義は簡単ではありません。何をもって親友とするか。それは、ある程度年齢を重ねないと見えてこないものでもあります。

幼稚園から大学まで、ある集団に属している時期は、クラスが同じ、家が近所、同じゼミで勉強しているなど、環境が必然的に友達同士をくっつけていたりします。それで、「私たちは親友よね」と安易に言います。実際、学生時代は登下校も一緒、ランチも一緒、席も隣同士で宿題を見せ合いっこしたり、ずっとべたべたしていたのに、社会人になった途端、めったに会わなくなったという友人もいるはずです。

私は、若い時期に親友はできない、と思っています。長い年月を経て、自分とあの友人は親友だったと自然にわかるものではないでしょうか。そう、結果論なのです。

ですから、いま「それなりに親しい友達がいる」のはすばらしいことです。それで十分です。依存し合う関係はよくありません。まずは仲のいい友達と誠実に付き合い、おいおい親友になっていけばいいと思います。

【必要な考え方】

・親友という枠に、無理やり誰かを詰め込まない。
・いま親しい人と、誠実な関係を持続する努力をする。

いじめ

いじめをやめさせるには、毅然とした態度を取ることです。いじめはイヤだというサインをはっきり示すのです。たとえば、その場で抑えがきかないほど大声を出すなど、主張すること。つまり、多少のショックを与えるのも一案なのです。

学校でも職場でも、対策は同じ。抵抗を示さないでいるといじめは続くかもしれませんが、〈いじめられている現状〉を周りにはっきり示すことが大切です。

職場では学校以上に有効です。普通にＯＬとして働いて、たとえばお局さまに意地悪をされたときには咄嗟《とっさ》に大泣きするのです。そうしたら上司が、「どうしたんだ！」と飛んでくるでしょう。そこで、「この人が私を！」といじめられていることを切々と訴える。そうしたらいじめた人は怖くなって、近寄らなくなります。

痴漢だって、小さな声で「やめてください」と言ってもやめないけれど、「この人、痴漢です！」と大声でアピールすれば、慌《あわ》ててやめるはずです。

それをやるときは〈逃げるが勝ち〉を想定するのです。死にたくなるほどつらいのに、我慢する必要はありません。ただ、その場合も、「いじめられてつらくてやめた」と考えるのではなく、最後に大声で騒いで一矢《いっし》報いたような気持ちでやめたほうがすっきりするはずです。できることはやったと思えますし、負の意識が残らないからです。

学校でも会社でも、いじめていた側も「そこまで追いつめてしまっていたのか」と後味も悪いでしょうし、訴えられたらどうしようなど、いろいろ思いを巡らせるはずです。すると、非常に誠実な対応をしてくれます。悪知恵とも思えるかもしれません。そういうアピール力、演出も大事なのです。

そして、いじめられる側も被害者意識でいるだけではいけません。もちろんいじめはよくないけれど、いじめられる子はいじめられる何か要因があることもあるのです。それは内観して自分で治さなくては、また同じことになります。

いじめられる子のパターンで案外多いのは、「こんな子たちと付き合えない」という顔をしてしまう子です。厳しく聞こえるかもしれませんが、傲慢《ごうまん》のカルマが返ってくるわけです。また、そういう子に限っていじめられると卑屈になりがちです。「あんなやつらにいじめられるなんて」と、どこか上から人を見ているのです。ですから謙虚になることです。

いじめにあって、私のところにカウンセリングに来ていた子には、主にふたつのパターンがありました。ひとつは、やや気位が高い家庭で育ち、それが本人も気づかないうちに鼻持ちならない雰囲気として出てしまう子。もうひとつは、大人っぽい感性のために仲間と打ち解けられずに孤立してしまう子。私はそのとき、後者の大人っぽい子には海外留学を勧めました。大人っぽい感覚の子は海外へ行ったほうが、水を得た魚のようにいきいきできるのです。それでいまでも人生がうまくいっているようです。

でも、気位が高い家の子には、転校を勧めました。気位というのは依存心です。それは心が弱いサインでもあり、その場合は、親の庇護《ひご》のもとにいたほうがいいと思ったのです。いずれにしても、わかってもらえないなら、いつまでもその場にいなくていいのです。新天地を探すのです。それは恥ずかしいことでも、親に迷惑をかけることでもありません。自殺まで考えるほうがよほど迷惑です。〈逃げるが勝ち〉ということもあるのです。

【必要な考え方】

・いじめられたら、その苦痛をストレートに訴える。
・「逃げるが勝ち」の精神も視野に入れておく。

人生の師

恩師と呼べる存在をつくるのは、ずばり自分です。よく「恩師と呼べるような存在がいない」「りっぱな先生がいない」と人のせいにしていますが、間違いです。責任主体で、自分が見つけるのです。

いい先生ではないといわれる教師でも、人によっては「あの人はいい先生だ」ということもあります。

よくある相談に、「すごく仲良くしている友達がいて、その人は人の悪口を言うところがある。そこがイヤなので、その人のことは全体は好きだけれど、遠ざけるべきなのか」というのがあります。よほど腹に据えかねる悪口を聞かされて耐えられないというのなら、近づかないほうがいいのでしょうが、本当は、悪口は

〝見ざる、言わざる、聞かざる〟なのです。一緒になって気弱に同調するからいけないのです。悪口が始まったら、別の話にそらせるようにすれば、そういう波長がなくなります。

結婚でもそうでしょう。ある人にとってはひどい夫でも、ある人にとってはすごくいい夫になることもあるのです。相手との関係も、料理の仕方次第です。大切なのはいいところを見つける目を持つことです。

人間は、どちらかというと悪い面ばかりを見たがります。でも、悪いところをつつくと、相手の悪いところは増殖するのです。いいところを見ることです。そしていいところを褒《ほ》めちぎってあげるのです。そうすれば長所がもっと伸びます。

恩師が欲しかったら、いろいろな先生のいい面を見ましょう。そこから信頼の絆《きずな》を結んでいけるはずです。それを続けてゆけば、この人生で出会う人すべてが〈人生の師〉ということが理解できるようになるはずです。

【必要な考え方】

・恩師が見つからないことを、人のせいにしない。
・人のいい面を見つける目を鍛える。

家庭

「あたたかい家庭がつくりたい」「家族の団欒《だんらん》が大事」だと口では言いながら、団欒の姿がない家があります。家の中を覗《のぞ》いてみれば、その家に団欒の時がきちんとあるかないか、すぐにわかります。家庭の団欒を大事にしている家には、家族が集まる場所があります。食卓がちゃんとしている、あるいは掘りごたつなどがあって、自然と人が集まってきてスッとこたつに入りたくなるような空気が室内を満たしています。

一方、団欒を大事にしていないところは、家の中がどんなにきれいに整えられていても寒々しいです。ホテルの部屋は立派でインテリアも素敵ですが、家庭の団欒向きの空間ではありません。訪問客への見栄を主体にしていると、ホテルのような部屋ができるのです。

どういう家庭をつくるかの未来像は、お母さんのイメージ力にかかっています。実は団欒のある家で育つ子どものほうが、しっかりしています。子どもの出来がいい、悪いはどうでもいいことですが、きちんとした考えを持ち、努力のできる子をつくるには、家の中が整えられていることが大事です。親の心が整理できないうちの子どもは心の整理ができません。家族が気持ちよく集えるように部屋はまめに掃除をしてください。

【必要な考え方】

・自分の家族にふさわしい団欒のイメージをきちんと考えてみる。
・家族が集える場所を掃除し、整える。

嫌な人との付き合い方

いまは近所付き合いも大家族も過去の遺物と化しています。友達なら、苦手な相手であれば、距離をおくことができます。つまり、現代は、好きな人とばかり付き合う楽な人間関係で生きることが可能なのです。

かつて、家族は、自分がどんな人間とも相対《あいたい》していけるだけの力量をつける練習場所でした。ありがたいトレーニング・マシーンだったのです。ところが、いまは核家族化が進み、きょうだいも少ない。親と子だけだから、関係のための工夫が要らないところが問題です。

人間関係が下手な人は、概して依存心が強く、人と理性で付き合うことができません。腹六分で収められず、感情を濁流のように垂れ流してしまうわけです。

それが関係をこじらせるのです。

そこで、〈嫌な人〉とどう付き合うかを考えてみます。実はそんな時代において、好きでもない人と付き合うのは学校や職場でしか得られない経験だといえます。負荷のある関係は、たましいの成長にとってはプラスになります。圧倒的に減ってきている人間関係の経験を補うチャンスです。

まず、〈嫌な〉という枠を外してみましょう。

未来の創り方という意味で考えれば、人とうまくコミュニケーションするための行動原理はどんな相手でも同じです。想像力を駆使して、相手を思いやることが基本になります。

繰り返しになりますが、気を使うのではなく、気は利かせるもの。相手の気持ちを考えて行動できるようになると、関係そのものがいい流れに変わってくるはずです。

人間関係の極意は、〈聞き上手〉です。相手の話に耳を傾け、「なるほど」「ごもっとも」「おっしゃる通り」を積極的に使うようにするのです。こう言われて、嫌な気持ちになる人はいないでしょう。年下が相手でも同じです。「いいこと言うねぇ」とポジティブに認めてあげましょう。どれもいわば、人間心理の本質をつく相づちなのです。

それから、相手がちょっといいことを言ったら、あるいは何か親切にしてくれたら、「優しいんですね」と言いましょう。褒《ほ》める、評価するなどのポジティブな言葉には、相手のいい面を増殖させる力があります。「優しいね」と言われた人は、次も優しくしよう、もっと優しくなろう、とします。

逆に、ちょっと意地悪なことを言われたときに「あなたって性格がねじれているのね」と反発すると、相手は「どうせ私は性格が悪いのよ」と開き直ったりします。あるいは卑屈になっていきます。ですから、何か憎らしいことを言われたときには、「そんなこと言って。本当はいい人なのよね」と切り返すのです。そうすると、その人自身、嫌な面はなるべく見せないようになるし、いいほうへ向いていくのです。

【必要な考え方】

・苦手な相手とうまくやっていくことは、たましいの成長になる。
・腹六分の理性的な人間関係を心がける。

人生に失敗したと思ったら

失敗のない人はいません。でも、それが大勢の人に迷惑をかける出来事であったりすると、「もうダメだ」と自暴自棄《じぼうじき》になるかもしれません。しかしそれでは何も学んでいないことになります。なぜ自分自身が、あるいは自分の身内がそんな失敗をしてしまったのか、徹底して考えていくことが大事です。

たとえば、自分の不注意から会社に大きな損害を与えてしまったとしましょう。どうしてそんな失敗を起こしたのか、それほど不注意になってしまった原因は何なのか、その償《つぐな》いをどうしていくのか、考えるべきことは山ほどあります。

そのときに、「自分はもう何も喜んではいけないのだ、幸せになってはいけないのだ」と考えるのも間違いです。苦難は、たましいが磨かれる道です。自分は幸せにならないのだからそれでいいではないか、と自分自身を納得させるのは、むしろ小我です。

人のために役に立つように生きることです。大我をもってすれば許されます。もう一度社会のために、大我をもって行動するのです。それができたとき、社会からも許され、自分でも自分をやっと許せるでしょう。

【必要な考え方】

・大きな失敗をしたとしても、自暴自棄になって納得しているのは小我。

・大我の道を探し、人のため、社会のために何ができるかを考える。

死が近づいたら

余命一日としても、それは未来です。未来は一日一日の延長線にあるものです。〈いま・ここ〉に思いを込めて生きるしかないのです。

人生とは経験と感動を積み重ねる旅路です。突然、不治の病であることを告げられたら、それは旅の終わりを告げられたようなものです。混乱もするでしょうし、ショックでしょう。突然、余命三カ月と言われれば、不幸を絵に描いたように感じる人もいるかもしれません。しかし、幸せをかぞえる人と不幸をかぞえる人がいるのです。よくよく考えれば、〈余命三カ月〉と言われた〈幸い〉なのです。

この世には、突然の事故で亡くなる人もいます。即死の場合は、余命は一日だってないのです。告知を受けるということは、まだ時間があるのです。残された一日一日に思いを込めることができる。充実の時間が残されているのです。

では、事故で亡くなった方は救いのない不幸かといえば、そうとは言い切れません。苦しみが短期間で済んだわけです。それが慰めなのです。

いずれにしても私たちは、いつか死を迎えます。ですから、毎日を「余命三カ月」と思って暮らすくらいでいいのです。誰にも、明日はわかりません。いつどうなってもいいように、毎日に思いを込めて生きていかなくてはいけないのです。


【必要な考え方】

・思いを込めて生きているかを自分に問いかける。
・毎日を〈余命三カ月〉と考えてみる。

子どもを失う

ショートステイの命を受けて、この世に生まれ出るたましいもあります。難病の子どもなどはその典型です。もちろん短い生涯だとわかっている子どもは、未来を描くにも時間的には限界があります。そういう意味では気の毒ですが、こうしたハンディを負った子のほうが子どもとして愛されたりするのです。

難病の子どもの場合は「生きてさえいてくれればいい」「笑っている顔を見たい」と、親や周囲の人から本当の意味での愛を受けているはずです。体も丈夫でちょっぴり利発な子のほうが、投資をされて回収を求められる、そういう物質的価値観の愛しか注がれないという場合もあるのです。

時間の長短ではなく、〈どれだけ込められたか〉がたましいのうえでは大事なのです。たとえ子どもが十歳までしか生きられないとしても、その十年間で親からの愛を一生分与えられたら、その子は不幸だったのでしょうか。すべての幸不幸というのは表面では判断できないことがあるのです。

【必要な考え方】

・時間で人生の幸不幸をはからない。
・病気になった家族を心から思いやり、愛情を注ぐ。

介護、老後の問題

日本ではいまだに老人介護の問題が浪花節《なにわぶし》で語られます。たとえば、自宅で介護する家は立派で、施設に預ける家は冷たいと見られてしまう。しかし、現実に則《のっと》って考えれば、年老いた親に息子や娘がいても、それぞれが抱える状況や事情はいろいろです。自分の器ではとても自宅介護は無理だ、共倒れになると思えば、専門の施設に預けるほうがお互いに幸せだということもあるのです。

もちろん、どちらの道を選ぶにしても、心を込める必要があります。自宅介護を決めても、気力体力の不足で十分にケアしてあげられないのでは、いい結果にはなりません。施設に預け、お見舞いもろくすっぽ行かないのでは、姥捨《うばす》てとそしられてもしかたないのです。逆に、施設に預けても、まめにお見舞いに行き、自分にできる最大限のことをしてあげるのなら、負い目を感じる必要はありません。

老いる側に立って考えれば、子どもに頼るのは不幸のもとです。依存心は小我です。自分の財産を好きなように使い果たして死んでいったほうがよほどいいです。

老後に不安があるというのなら、自分から老人ホームへ入って最期の瞬間まで楽しく生きたらいいと思います。遺産があれば、お世話になった老人ホームか、福祉施設にでも寄付すればいいのです。下手に残すと、近親者でも相続争いなど、いらぬ諍《いさか》いの種になります。何も残さないのが、むしろ子どものためなのです。責任を負うのは夫婦間でのみです。子どもの人生はまったく別だと考えるべきです。

嫁姑問題や遺産相続の骨肉の争いなど、家庭の問題を起こさないためには、老人も自立心を持つべきです。子どもはいないものと思い、極楽の老後を過ごすのです。

自ら、老人ホームに入る選択もいいと思います。どんなふうに死にたいのかというのは若いうちから持っていたほうがいいのです。老人ホームといっても、最近は施設も充実しています。暗いイメージでばかり捉える必要はないと思います。

まだ若い人なら、将来、寂しい老人にならないように注意しておくことです。寂しい老人はすぐにお金で子どもや孫を釣ろうとしますが、物質的価値観では人はなびきません。孫に雛人形を買ってあげたって「ありがとう、おじいちゃん、おばあちゃん」でおしまい。だったら自分の趣味や旅行にお金を使えばいいと思います。「老後は自分でつくれ」です。

【必要な考え方】

・老人介護は自分の器の範囲内で。
・老後の楽しみを子どもや孫に託さない。

ひとりで迎える死

公演等で何度か質問をされたことがあります。「独り身で生きて死んでいく人は、浮かばれないのでしょうか」「供養をしてくれる身内もいなくて、無事にあの世に行けるのか不安です」というものです。

しかし、実際は、そういう人のほうが浄化が早いのです。なぜかというと、最初から誰にも頼っていないからです。供養してもらおうなどと変な期待をしていないので、昔からの友達などが供養をしてくれたりすると、それだけで喜んであの世に自力で行けるのです。

さまようのはだいたい家族に恵まれている人です。そういう人に限って、孫が来てくれない、子どもが来てくれない、嫁がどうのこうのと言って迷うのです。

あてにしすぎなのです。それではなかなか浄化できません。

「私は独り身で子どももいません。だから永代供養でもお願いしなくちゃ」と言う人には「大丈夫、自力で行けるから」と言っています。この世で物質的に幸せと思える人は、実はたましいのうえで不幸になってしまうこともあるということです。

【必要な考え方】

・孤独な人のほうが浄化が早いことを知る。
・物質的な幸せをたましいの不幸につなげないように心を自立させる。

人生の終わりに

「人生の終盤でやり残したことばかりが気になります」と言う人もいます。そういう人は、考えてばかりいないで、やりたいことをやってください。人生のゴールに向かって、有終の美を飾るべく、一日一日、思いを込めて過ごしてください。いつまでも長く働けて役立つ老人でありたい。それが理想だと思います。もちろん遊び心を忘れず、最期の瞬間まで、真善美に触れていたいものです。

死を巡《めぐ》っては、そうした豊かなイメージを、日本人はあまり持てないようです。病院の暗い中で死んでいくとか、延命治療の果てに苦しみ抜いて死ぬというネガティブな考えに支配されすぎているのです。緩和ケアを受けながら安らかに死んでゆくことを考える人は少ないでしょう。だから、最期の死に際がみじめなのです。

死が怖い、まだやりたいことがたくさんあるのに、という気持ちは、生への執着の裏返しです。確かに命があるうちは精一杯生きるべきです。しかし、死はみなに平等に訪れるものです。大切なのは、死を見るのではなく、残された生を見つめることです。そして最期の最期には、生きることへの執着や未練を捨て、あの世へ旅立つべきなのです。

【必要な考え方】

・時間ではなく、どれだけ込められるかを考える。
・死に対するネガティブなイメージを捨てる。

たましいは永遠

たましいが永遠であることが信じられないという人もいますが、大丈夫です。死ぬときにわかります。

その証拠に、「苦しい」「死ぬのが怖い」と叫んで死んでいく人はあまりいないのです。ほとんどの人が安らかに目を閉じ、「眠るように死んでいきました」「おだやかな最期でした」と言われるのです。

ただ、未来ということでいうと、あるホスピスの先生の言葉を思い出します。ホスピスで何人もの患者の死を看取ってきた先生の言葉だから重いのですが、彼は、「人はその人が生きたように死んでいく」と言います。この言葉は痛切です。死はその人のそれまでの生き方をすべて表すということです。

ホスピスでは、もちろん緩和治療をします。ですが、同じ治療をしても、同じような死を迎えるわけではないらしいのです。たとえば鎮痛剤を使用しても、効く人と効かない人がいるのだそうです。同じ症状で同じ分量だけ与えているのに、ある人はニコニコして「先生、きょうはおだやかなんですよ」と言う。別のひとりは「苦しい、鎮痛剤を打っても苦しい」と言う。

私が思うには、その苦しみは病気から来る苦しみというよりも、〈スピリチュアル・ペイン〉というべきものだと思います。原因が見えない痛み。ちょっとの傷でも、気分ですごく痛かったりすることがあるでしょう。それと同じです。

いろいろなケースがあり、一概にはいえませんが、何が違うかというと、感謝のあるなしで、おだやかでいられる人は感謝のある人、苦しむ人は大抵、感謝の足りない人なのだそうです。いつも不平を言ったり、人から恨まれている人は苦しむことが多いそうです。

ホスピスに来たらみんなおだやかに死ぬかというと、そうではないそうです。その人が生きたように死んでいくのです。つまり、それまでの生き方が死を決めるのです。死に際だけいいところへ行こうと思っても、それは叶わぬ願いというものです。

【必要な考え方】

- 過去の生き方が死に方を決めると肝に銘じておく。
- どんなときも感謝を持つ。

個々の〈未来への不安〉への回答

ここでは、みなさんが不安に思うような質問をチョイスしてそれにお答えしていきましょう。人間の悩み・不安というもの自体にはそれほどバリエーションがあるわけではありません。複雑な悩みを抱えているようでも、それはいくつかの問題が絡《から》んでいるがゆえに複雑に見えるだけです。不安を分析して、解決できるところからどんどん解決してゆきましょう。考え方をポジティブにし、感謝に満ちて生きるようにしましょう。困難があってもそれは自分から自分への贈り物。そして失敗を恐れないこと。

いまあなたが生きている人生はあなた自身が選んだ結果なのです。もし、輝ける人生を望むならば、その裏の闇の部分も抱えなければいけません。光と闇は表裏一体なのです。怠惰をやめ、努力をし、それでも上手くいかない場合もあります。しかし、その「上手くいかない」ということ自体が学びです。決して表面だけを見ないこと。自分自身の〈動機〉を見極めて、内観をしてください。気持ちのうえで解決できたと思ったら、なるべくノートに書き留めてください。小さなことからでも「自分で解決できた」という思いは自信につながります。その自信を編み物を編むように少しずつ溜《た》めてゆけば、「自分自身を救う〈救世主〉は自分」ということが実感として理解できると思います。そうなればもうしめたもの、誰にも頼らず自分の人生を喜びに満ちて創造してゆくことができます。

みなさんが〈創造主〉としての自覚を持って生きてゆくこと、それが私がいちばん願うことです。

【不安】

Q　毎日の暗澹《あんたん》たるニュースを見ていると、幸せな未来像が浮かんできません。どうしたら、明るい未来をイメージできるようになるのでしょうか？

A　未来を創るのは自分です。マスコミが流す一方的な情報だけで、暗いイメージしか持てないのなら、まず自分が変わる努力をすることです。どんな世の中になっても、充実して幸せに生きてゆくことは可能です。そのイメージを保つこと。それが豊かな未来の第一歩になるのです。

【夢】

Q　ミュージシャンを目指してもう二十年もがんばっています。両親や友人はそろそろ諦《あきら》めろと言いますが、僕は納得できません。願えば夢は叶《かな》うと信じ、あきらめきれないのです。〈夢を叶える〉という未来を、どう引き寄せればいいのでしょうか？

A　目指して二十年。まったく芽が出ないとしても、本人がそれでも幸せだと思っていればべつに諦《あきら》める必要はありません。
　夢を目指し、実際に成功するかどうかは物質的価値観です。一生〈なんちゃってミュージシャン〉だとしても、アルバイトで生計を立て、あとは音楽にかけてもかまわないのです。他人がどうこう言うことではないのです。

現に、歴史に名を残す画家や音楽家は、生前には評価されなかった人が圧倒的に多いのです。物質的価値観で見たならば、売れない音楽家は不幸かもしれませんが、その経験によってたましいが磨かれるのならば、そう悪いことではないと思います。適切な努力をしていれば、必ず得るものがあるはずです。

【運】

Q　私の周囲には、たなぼた式の幸運に恵まれている人が何人もいます。独立を目指していたら出資者が現れたとか、ブログが書籍化されたとか。なぜ、友人のように運のいい人、私のように運の悪い人がいるのですか？

A　夢の入り口が開いた人がいる。それは羨ましいかもしれません。でも、まだどちらもスタート地点です。結果を見なければ、そうした友人たちが本当に幸せなのかどうかわからないのではないでしょうか。

もし、トントン拍子にうまくいき、幸せな結果になっていたとしても、これを〈運〉で片づけるのはいけません。彼らは自分で動いてるから、出資者をキャッチできたり、編集者の目に留まったりするのです。運が悪いのではなく、自分がそれだけ努力していないということです。自分から動かずに嫉《ねた》んだりすることが、スピリチュアル的には最もよくないことです。

【出会い】

Q　もう三十歳になろうというのに、これまで誰ともお付き合いをしたことがなく、そもそも人を真剣に好きになったこともありません。こんな私でも、未来にはすてきな恋人が現れるのでしょうか？

A　未来の扉は、自分からノックしないと開かないのです。相談者は、友人に本気で恋人紹介を頼んだことがあるでしょうか？　会社のステキな同僚と食事に行ったりしたことがあるでしょうか？　恋愛のところでも書きましたが、とにかく行動してみることです。

【苦難】

Q　正直、苦難ばかりの半生でした。借金、離婚、子どもとの死別……。これからもこんな日々が繰り返されるなら、うんざりです。事態が好転する要素は何もありません。私は何を支えに生きていけばいいのでしょう？

A　よくある相談です。しかし、運命の法則に照らし合わせれば、この相談者は、被害者根性でいることが苦難ばかりの半生をつくってしまったとわかります。

借金は、何のための借金だったのでしょう。

離婚だって、「私は離婚という憂き目にあって」とか、「離婚をする運命だったのでしょうか」と言う人があまりに多いです。けれど、そういう相手を選んだのは自分なのです。たいていは、相手が悪いのだ、自分は被害者だ、と言うのですが、「あなたはさらわれて結婚したのですか？　好きで結婚したのでしょう？」と聞きたくなります。

DVの夫と復縁をしたという人が、やっぱり夫のDVが治っていなくて、「私はそういう定めなのでしょうか」と泣くのです。酷なようですが、私はそういうとき、同情しません。「あなたが主体性がないから復縁したんでしょう。そんな操り人形みたいなことを言っていてどうするの。自分の意志はないの?」と言いましたら、きょとんとしているのです。自分の決意ひとつなのに、本人がいちばんわかっていないのです。

そういうふうに不幸は、突然来るもの、自分は悪くないのに天から降ってくるものだと思い込んでしまったのは、不幸の種は自分の判断ではなく祖先の因縁にあるかのような言い方をする人がいるからだと思います。ですが、スピリチュアルな世界では、すべて責任主体なのです。

子どもとの死別はつらかったろうと思います。ですが、こうしたショートステイの子がやって来たのも、「しっかり生きろ」という反面教師役なのです。この子を持ったのは学びなのです。一見、事態が好転する要素は何もないように思うのかもしれません。でも未来は自分で創るもの。その意識を持つだけで、いままでの出来事の意味もわかってくるはずです。

【才能】

Q　僕はまだ中学生ですが、いまから進路が心配です。というのも、勉強もスポーツも平均点、歌や絵も苦手、いったいどんな職業を目指せばいいのか、見当がつかないからです。サッカーのうまい友人はサッカー選手になりたがっていますし、英語が得意なクラスメイトは、外交官になるのだと言っています。僕自身にはどんな才能があるのか、どうやって知ればいいのですか？

A　この中学生だという相談者は、〝平凡は非凡なり〟ということがわかっていません。経験が未熟な年ごろですから、まだ難しいかもしれませんが、少し考えてみてください。

最近は、何か突出してないと不安、という感覚が強くなっています。それは幼稚な発想です。社会には普通な人がいないとやっていけません。みんなが芸能人やサッカー選手になってしまったら、どうやって社会が動くのでしょうか。

非凡な人生には、浮き沈みがついて廻ります。平凡だと相談者が危惧する人生には、安定があるのです。そういう意味で、人生は平等です。プラス・マイナス・ゼロなのです。

それと、本当に何かになりたいのなら努力すればいいだけです。中学生くらいで「英語が得意だから外交官になる」と言ったって、英語圏の国に行ったら、年端のいかない子どもでも英語を話します。自分はただの人以下です。外交官になるためには、もっと多くの努力が必要です。いま簡単に絶望せず、ステップアップのための苦労をしてみてください。人生はカルマです。蒔《ま》いた種は将来必ず刈り取る日が来ます。

【子どもが欲しい】

Q　結婚して十年。子どもに恵まれません。不妊治療など夫婦ともども努力はしているのですが、このままでは私どもの人生は子どものいない「未来」ということになります。江原さんのご著書にも、「運命は変えられる」とありますが、いくら努力しても変えられない未来というものがある気がしてなりません。

A　「いくら努力しても変えられない未来というものがある気がしてなりません」とこの相談者は言います。スピリチュアル的には宿命は変えられませんが、運命はいくらでも変えることができます。未来とは、自分の努力で築きあげていくものです。すでに決められた人生などありません。自分には子どもがいない未来しかないのだ、と相談者は嘆きますが、養子をとるなどの方法もあります。それに、冷たい言い方に聞こえるかもしれませんが、子どもを持つばかりが人生ではないのです。子どもを持たないということの学びもあります。よくよく考えてみれば、それ以外には恵まれている部分もあるのではないでしょうか。すばらしいパートナーを持っているとか、やりがいのある仕事に就いているなどです。

不妊治療の問題を語るとき、「あの人はお金があるから治療できるんだ」という反応をする人がいます。私はそこに想像力の欠如《けつじょ》、そして心の貧しさを感じずにはおれません。待ち望んでいた子どもを授かったのだから、「おめでとう、よかったね」と言うのが普通でしょう。それを「あの家は金がある。うちはないから」と嫉《ねた》むのは、「あいつらにだけいい思いをさせるもんか」という恐ろしい感覚です。

この問題に限らず言えることですが、いまの時代で感じるのは、人が人を簡単に裁きたがる恐ろしさです。人を裁くことは絶対にいけません。でも、みんなでそういう問題を考えるモチーフにはなったと思います。

私自身は、基本的に不妊治療には賛成できませんが、それも人それぞれの事情があり、選んだ運命です。もっとも、遺伝子を残したいという気持ちだけでは物質的価値観です。自分の気持ちが大我であることを見極めてから、子どもの問題は考えましょう。

【お金】

Q　激動の世の中で、信じられるものがお金しかありません。何かの時もお金があればなんとかなるだろうと、倹約し、楽しみも我慢し、貯金に精を出しています。三千万円とまとまった額にもなりました。味気ない日々を寂しく思いながら、金銭的余裕ができれば精神的余裕もできると思っていたのに、不安は募るばかりです。どうしたら「将来、安泰」という確信を持てるようになるのでしょうか。

A　心の平安をつくるのは自分の心です。これで安泰、というのは、一億円持っていても不安な人は不安でしょうし、百万円で安心できる人もいます。「自分で生きていくためのお金は自分で稼ぐのだ」という心の持ちようが、逆に不安を消してくれると思います。

私は、何かが欲しいというと、母から「お大尽じゃあるまいし」とよく言われました。その言葉はいまでも私の中に残っていて、身の丈に合った暮らしをしているかということを常に考えています。

年金があてにならないなどと言われてずいぶん経ちます。国がなんとかしてくれる、という依存心が不安をかきたてるのです。最初からアテにしないつもりでいると、むしろ自力で生きていこうという強い意欲が湧《わ》くものです。

【パートナーの浮気】

Q　夫の浮気癖が治りません。バレるたびに、「もうしない」と涙ながらに謝るのですが、結局は別の女性にちょっかいを出すのです。私自身は、夫と仲睦まじく連れ添い、いい老夫婦になるのが夢だったのですが、最近は絶望的な気分になっています。夫は「どんなときも俺を許してくれるから、いちばん愛しているのは君だ」と言います。離婚する気はないようです。やがて私のもとに帰ってくることはわかります。では、夫がいつか女性遊びに飽きるまで我慢を重ねて待てばいいのでしょうか？　それが女性として「幸福な未来」なんでしょうか？

A　「絶望的な気分になっています」というのは小我です。浮気をする夫に我慢して一緒にいるのは、自分も好きでやっていることではないでしょうか。いっそそういう役に徹して、「自分はとまり木の人でいいから」と言っているのと同じです。

相手を変えるのは並大抵の努力ではできません。〈まず変えるべきは自分〉です。浮気を繰り返すのであれば、別れてあげるのも愛情です。離婚して本当に夫が改心することがあれば、戻ってくるでしょう。離婚してそのまま、ということもあるでしょう。そういう時は「そんな男だったのか」と考えればいいのです。別れてみれば、はっきりわかります。

【他者を羨む】

Q　一生懸命やっていれば花開く。その言葉を信じて、一生懸命、いまの営業の仕事をしています。しかし、成績は月によってまちまちで、決して高収入とは言えません。その一方で、株や犯罪すれすれのマネーゲームで成功し、メディアを飾り、儲けている人たちがいると思うと、真面目に生きる自分の未来がひどくちっぽけなものに思え、情けなくなってきます。

A　人生を人と比べてはいけません。一生懸命やることは、それだけで価値があります。人と比べてどうこう言うようなことではありません。

自分が一生懸命やっているのがばからしいと思うなら、やめればいいのです。

人を非難して「マネーゲームをやってるやつは許せない」と言う人もいますが、では実際にマネーゲームをやってみればいいのです。その世界にはその世界の苦難があります。表面ばかりを見て羨《うらや》むのは意味がないのです。人は人。裁いてはいけません。スピリチュアル的には、そういう心のほうがずっといけないのです。

【決められた未来】

Q　未来はいくらでも変えることができる、という人がいます。でも、私はすでに四十歳も半ばを過ぎた公務員です。変えられるどころか、この先の未来はほぼすでに設計図が引かれているようにさえ感じて、とても変えようがあるとは思えないのですが……。

A　この相談者は、要するに怠け者です。未来の設計図は自分で引かなくてはいけません。怠けないでつくりなさい、ということです。変えようがない、などというのは言い訳です。運命は一つではありません。あなた自身が自由意志で決めていくものなのです。
何か大きな力が働いて変わる、誰かが変えてくれるという依存の考え方は捨ててください。

【人生の岐路に対して】

Q　いわゆる社会的成功者や著名人が、「いま思えば、あれが人生の転機になった」と語っているインタビューなどを読みます。彼らは、そのときそれが分かれ道だとは思わずに選んだわけですが、結果から見ると、その選択は正しかったのだとなります。なぜ「ここが分かれ道だ」というとき、彼らは自分が選ぶ道が正しいという確信が持てるのでしょう?

A　その道の第一人者や成功者のインタビューなどを読むと、「たまたま選んだだけなのですが」という人が多いです。でも、それは一種の謙遜でしょう。確信が持てるのは〈ビジョン〉を持っていたからです。それも、小我ではなく、大我から来る豊かなビジョンがあったので、揺るがず精進できたのです。たまたま選んだのではないのです。

もっとも、日本人的な美徳なのか、そういう言い方をするから、世間の人は惑うのかもしれません。「私には大我から見えていたビジョンがありました。いつか来ると思っていました」と本当のことを言ったほうがいいのです。

【死への恐怖】

Q　死は誰にでも訪れる平等な〈未来〉です。でも、私は死ぬことがたまらなく怖いのです。怖くない未来に変えることはどうしたらできるのでしょうか？

A　逆説的なようですが、死に対する恐怖をなくすには、人を看取《みと》ることです。死をたくさん看取ることです。そうすると死にゆく人たちがいかにおだやかに、いかに大切なメッセージを残して逝《い》くのかがわかります。

以前、シスターの鈴木秀子さんと対談させていただいたのですが、ご自身も臨死体験をされ、たくさんの人を看取ってきた方です。亡くなってゆく人たちを看取ることによって教えられることがあり、逝く人を見るとあの世を信じられるようになる。たくさんの死と対していくと、死ぬことは怖くなくなる、とおっしゃっていました。

施設で育ったのち、成人して大型トラックの運転手となった青年の話があります。その対談の中で印象に残ったエピソードでした。二十二歳で交通事故に遭い、病院に搬送されました。医師から手のつけようがないと言われたほどの重症で、救急病院で死を待つだけでした。その人は最期に起き上がって「美しい」と言って亡くなったそうです。

その青年の日常生活の中では「美しい」という言葉はずっと縁がなかったろうと言います。美しいと表現されるような人生ではなかったのに、最期に「美しい」と言った。それが最期の言葉だったそうです。そういって亡くなってゆく人もいるのです。

死を恐れず、それをしっかり見つめることです。そうすれば自然と死への恐怖は消えてゆくはずです。

第五章　闇から光へ〈江原啓之緊急提言〉

物質信仰元年世代

これからの日本はどうなってしまうのだろう。

私たちに未来などあるのだろうか。

今日、どれほど多くの日本人がこんな不安を抱えながら生きているでしょうか。

このおおもとをたどれば、戦争に行き着きます。日本では、第二次世界大戦の敗戦を経て、それまでのすべての価値観が崩れ去りました。終戦の一九四五年に、人々は何を信じていいかわからなくなり、目に見えるものに重きを置く〈物質信仰元年〉が始まったと私は思っています。

ですが、実は私はこの物質信仰元年には同情的です。なぜなら、食べるものがない時代でした。着るものもありません。住むところも失った人が大勢いました。子どもや家族を養うために、生き延びるために必死だったわけですから、物質信仰元年世代の気持ちには〈大我〉もあったと思うのです。自分さえよければ、という自己中心的な〈小我〉だけではなく、家族や地域住民、国民全体に対しての〈大我〉の思いがきっとどこかにあったと思うのです。だからこそ皆必死で働き、高度経済成長を迎えるに至ったのではないでしょうか。

物質信仰元年世代とは、昭和ヒトケタから十年代生まれ前後で、戦前の生まれ。戦争中には子どもだった世代を指します。モノに飢えていた彼らにすれば、モノに囲まれることが幸せで、モノを与えることが親の愛だと思ってしまうことも無理からぬことだと言えます。物質のありがたみを強く感じてしまったことも、ひとくくりに悪いとは責められないと思うのです。

けれどもこの価値観の転換は、次の〈団塊《だんかい》の世代〉に受け継がれ、さらに勢いを増しました。これが今日に多くの問題をもたらしている元凶になっています。

団塊の世代

団塊の世代は、物質信仰元年世代の直前の世代を、親に持っています。彼らは自分たちの親の世代、すなわち価値観が総崩れし、自信のなくなった親たちの大変さを少しも理解しようとしませんでした。それどころか、思春期を迎えた団塊の世代は物質信仰をいたずらになじり、「おまえたちが間違っていたから悲惨な戦争が起きたんだ。おまえたちがこんな国をつくったんだ」と社会に反発するようになります。これが団塊の世代を象徴する学生運動や受験戦争、ニューファミリーといったキーワードと結びついていきました。

団塊の世代は、戦争を知りません。既存の価値観からまったく自由な世代という誇りを持ち、高邁《こうまい》な理想を抱いて青春を過ごしました。しかし、結果は惨憺《さんたん》たるものだったと言わざるを得ません。

というのも、戦争を知らない彼らは、本当の苦しみを知らず、学生運動を起こしたのも、一種のスタイルにしかすぎませんでした。ヘルメットやシュプレヒコールは反体制のアイテムであり、とにかくカッコよかったのでしょう。反戦の歌をうたうフォークゲリラと言われる集会も、当時の流行りでした。

そんな青春を生きた彼らの多くは、卒業の時期が来たらどうしたかと言うと、髪を切り、「もう若くないさ」とフォークソング『「いちご白書」をもう一度』の歌詞そのままに、会社に散って行ったのです。普通に就職した後は、学歴や世間体や出世といった物質的価値観というものにどっぷり浸かりながら、日本の高度経済成長を後押ししていきました。

勾玉《まがたま》、剣《つるぎ》、鏡であった古《いにしえ》の〈三種の神器《じんぎ》〉は、物質信仰元年以降、「白黒テレビ、洗濯機、冷蔵庫」になり、やがて「カラーテレビ、クーラー、カー（車）」に変わっていきます。人生観、価値観がかたちづくられる幼少期から青春期に、この時代をそっくり生きたのが団塊の世代です。

フランケンシュタイン世代

団塊の世代の子どもたちは、いま二十代後半から三十代前半になっています。もともと指示待ち世代であった団塊の世代の子どもたち、いわゆる団塊ジュニアである彼らは、「何をしていいかわからない」「生きていてもつまらない」と語る中心層です。この主体性なき世代を、私は〈フランケンシュタイン世代〉と呼んでいます。

なぜ、こんな主体性欠如の世代が生まれたのか。ここではその答えを探っていきましょう。

物質信仰教育の始まり

物質信仰元年世代以後、親たちは子どもに、物質的成功、社会的成功を目指すよう教育しました。

「おまえに、どれだけかけたと思ってるんだ」

物質信仰時代に入ってからの親の言い分を端的に言うならば、これに尽きるでしょう。そして、学歴偏重のエリート主義社会をつくり、子どもたちを受験戦争へと駆り立てました。

しかも、親たちは子どもが出した結果を見て、平気で傷つけ、なじるようになっていきます。

「あれだけ塾に行かせたのに、いい学校に行かなかった」

「いい学校に行かせたのに、いい会社に就職しなかった」

「あれだけ習い事をさせたのに、いいところに嫁がなかった」

女の子であれば、そんな言い方もしたかもしれません。

「あんなにかけてやったのに。それでいて何ひとつモノにならなかった」という言葉は子どもにとってあまりにも残酷です。

もちろん悪気はないのだと思います。本当に何ひとつモノにできなかったのかどうかはわかりませんし、そもそもモノにできなかったからかわいくないのかというと、そうではないでしょう。親ならばどんな子どもでもかわいいと思うはずです。それでも、つい口に出てしまうのです。

子どものほうも深刻です。親たちが決めたエリートコースだけが人生であり、幸せになる道だと思い込まされてきたために、それが実現しなかったときの挫折感は深いのです。

〈投資と回収〉

この発想の過ちは、教育を〈投資と回収〉に押し込めたことにあります。投資したものは回収する。投資した分を回収できることがいちばん重要なのだ。これでは株取引と一緒です。

しかしながら、子どもは株ではありません。それなのに、「おまえにどれだけかけたと思ってる。元をとって返しなさい」と言っている親が多いわけです。

そうした親にとって、いい子かどうかは、回収できたかできていないかの違いになってきます。

「うちの子どもの中でもあの子はいい子だ、この子は悪い子だ」というときの、いい悪いは、回収できた子、回収できなかった子、という一点で決まってしまうのです。

成績がいい。いい学校へ行った。有名な会社へ入った。給料が高い。そういった目に見えるものが基準になっています。

つまり、「あの子は親孝行でね」という自慢は、いい学校を出た、いい企業に勤めている、何か贈り物をくれる、温泉へ連れていってくれるなど、物質的価値観を充足させてくれるか否かにかかっているというわけです。

何もしてくれなくても、親のことを大切に思っている子、尊敬して感謝している子がいちばんいいに決まっているのに、目に見えることをしてくれないと、いい子ではないという。それがいちばん顕著なのが、団塊の世代と、団塊ジュニア世代の親子です。

人生観に多様性がないために、口癖のように「おまえは私の言うことを聞いていればいいんだから」と押しつけます。

「この学校へ行きなさい」

「この会社へ入りなさい」

「この人と結婚しなさい」

そう言って、準備支度から資金からみんな面倒を見てしまい、「どれだけ与えたと思ってるんだ」とがんじがらめにしている。これは〈支配〉以外の何ものでもありません。ロボット扱いと同じです。恐ろしい話です。「自分は親に愛されていたかどうかわからない」と思っている子どもたちがとても多いことでもその弊害の大きさがうかがえます。

確かに、〈投資と回収〉の価値観で〈いい子、悪い子〉を選別されたら、「私はいい子じゃなかった。だから私は愛されてない。私はいてもムダなんだ」と無意識に考えてしまうに違いありません。
いわば、日本人がすべて虐待を受けているようなものです。

主体性を取り戻す

そういう大人たちは、言うなればみな独裁者と変わらないことをしてきたのです。自分が守ってやると言いながら、子どもが自由な意志を持つことを禁じている。

「食わせてやってるだろう」「与えてやってるだろう」と言って、無理に欲望のフォアグラにされても、幸せなど感じられなくて当たり前です。フォアグラになる鴨に聞いたら、「何が幸せかわからない。何だかいつも食べさせられているだけだ」と言うにちがいありません。同じことなのです。未来を創ろうにも、自分の幸せがわからないと創りようがない。

まずは、フランケンシュタインの状況から、自分で這い上がらなくてはいけません。フランケンシュタインがたましいを抱くには、フォアグラにされることに反発し、主体性を取り戻すことが必要なのです。

最近、手塚治虫の『どろろ』が映画になりました。主人公の百鬼丸は幼少期に妖怪たちに奪われた自分の肉体を、その妖怪を倒してゆくことですこしずつ取り戻してゆきます。彼はいまを生きる私たちの暗喩《あんゆ》のような存在です。その百鬼丸のように、ばらばらにされ傷つきながらも自らの手で自分を再生してゆかなくてはならないのです。

戦争はすべての悲劇を生みます。しかし戦争は人類の〈カルマ＝業〉であると同時に、たましいを向上させようという負荷なのかもしれないと私は思います。徹底して膿《うみ》を出せばもう良くなるしかありません。夜明け前の闇はいちばん深いと言います。いまはまさにその時期で、ひとりひとりみんなが、日常生活の中で働きかけていかなくてはいけないときなのです。

大切なものがわからない

この主体性の欠如は、何も子どもに限ったことではありません。大人たちも自分で考えることをしなくなっているのです。

先日、とある霊験あらたかな社でご神木が傷つけられる事件がありました。ある出版社から聞いたのですが、「その事件について江原さんは何と思われているのか、知りたい」という問い合わせがあったそうです。

私は、その事件云々の前に、日本はなんて幼稚な国だろうと思いました。これは、学校の先生に、「先生、A子ちゃんが悪いの。何か言ってください」と言うのとまるで一緒です。主体性がないのです。ご神木を傷つけられたら、私に尋ねる前に、悲しい、嘆かわしいと思うのが普通でしょう。私がその方たちに聞きたいくらいです。「あなたはそれがうれしいのですか？　悲しいのですか？　どう感じましたか？」と。

それもこれも、何でも与えられ、従うことに慣れてしまっているからです。自分では何が大切なことなのか判断できない。ロープを張ったりガラスで防護してないと大事なものだとわからないところまで日本人は落ちてしまったのです。

ヨーロッパは街すべてが歴史的建造物ともいえるような土地です。何ということのない壁にも、何百年の歴史が刻まれています。そういうものに囲まれているせいか、それらを大事にすることは当たり前だというのが彼らの精神の根幹にあります。ルーブル美術館でもオルセー美術館でも、普通に手が届くようなところに絵が飾られています。それが日本に来ると、分厚いガラスで閉ざされてしまうから反射でよく見えなくなってしまう。しかも「立ち止まらないでください」と言われて、どれが『モナリザ』でどれが『落穂拾《おちぼ》い』なのかもわからないまま。それでもみんなおとなしく、行列してのろのろ進んでいくうちに、エクソシストみたいにだんだん首が曲がっていく。これはもうブラックジョークです。

ニュースを見ても、連日、物質的価値観のかたまりのような事件ばかりです。何か問題があったら、自殺する人が後を絶ちません。

教育者も例外ではなく、大人がそういう姿勢を見せて、何か変わるでしょうか。これは、いざとなったらケツをまくって逃げろ、と教えていることと同じなのです。死はリセットにならないのにそういうことをする。まさに自分が責められたらイヤだという、〈小我〉なのです。「申し訳ない」という気持ちから自死を選んだのかもしれません。でも、本当に申し訳ないと思っていたら、すべてを処理することに専念するべきです。厳しいようですが、中途半端に投げて死ぬのは、自分がかわいいだけです。

子どもたちは裏切られた気持ちが強いはずです。あの子どもたちの心のリハビリは誰がするのですか。誰が責任をとるのですか。

また、いじめの問題は終わりが見えません。教師も学校も認めてみたり否定してみたり、補償だの裁判だのがイヤだから、とにかく逃げる。失うことを恐れるばかりに真実をねじ曲げている。大人の社会で大我ができなくて、子どものいじめをなくせるわけはないのです。

気づきを促す

このままでいけば、結局は掟《おきて》で縛るしかなくなります。法に規制されて、縛られてビクビクしている管理社会が幸福だったことは一度もありません。

昔は

「後ろめたい」

「良心の呵責《かしゃく》」

「お天道さまに顔向けできない」

「バチが当たる」

という言葉が当たり前に私たちを律していて、自主規制ができていました。この主体性こそが、人間としての〈大我〉です。

自主規制のほうがずっと精神は大人です。目に見えないものに対する敬《うやま》い。それがいまこそ大事なのだと私は言いたいのです。

主体性の欠如は、煎じ詰めれば〈想像力の欠如〉です。想像力がなさすぎるから、信じられないような事件が起きるのです。

飲酒運転事故がこれだけ続くのも、想像力のなさが原因です。

また、悲しいことに、夏にパチンコ屋の駐車場で置き去りにされた赤ちゃんが亡くなるのは、まるで一つの風物詩のようで、とても悲しいことです。

何度もそうしたニュースを見ているはずなのに、「自分には絶対にない」「自分には起きない」と勝手に思ってるからです。

もし、あなたがその想像力を持っていたとしても、「想像力のない人はない人同士で適当にやってくれ」と知らんぷりを決め込んでいるわけにはいきません。類魂の法則からいえば、みな一つにつながっているのです。だからそうした想像力不足の人たちに、「想像力を持て！」と言わなくてはいけません。それは、指図をして、命令して、裁くということではありません。声をかけ、気づきを促していかなくてはいけないのです。

依存心から自己責任へ

いまの日本に生まれてきたこと、日本で生きるということを類魂の法則に当てはめて考えますと、同一のカリキュラムの者たちが波長の法則によって引き寄せられていることになります。依存心の最も強いたましいが集まってきていて、それを克服するカリキュラムにかかわっているわけです。それはこの国に来た、たとえば留学生なども含めて、いまの日本に暮らす全員がかかわっているのです。

日本人は何よりもまず物質主義的価値観のリハビリから始めなくてはいけません。私がいま声を大にして言いたいのは、このことです。はっきり申し上げますが、いまの日本は〈たましい〉が健全ではない。〈たましい〉が健康体ではないのです。そのためのリハビリこそが緊急の課題なのです。

「自由がいい」と誰もがそれを最上のことのように言います。もちろん自由はすばらしいことですが、自由には責任が伴います。ところが、多くの人が口にする〈自由〉は、「わがままを通させて」ということと同義語なのです。だからおかしくなるのです。

〈自由〉というのは本来、自己責任で生きるということです。お気楽なことではなく、むしろ襟を正して向き合わなくてはいけない難しいことなのです。

自覚を持って選択する

最近の風潮としては、たとえばある人が友達と話をしていて、頭をかこうとちょっと手を上げたとします。すると、友達がその人に向かって、「いま手を振り上げたでしょ、ぶとうとしたでしょ」と責め立てるような時代になってしまいました。いつも疑心暗鬼で、揚げ足取りやスキにつけ込むようなことがめずらしくありません。「あの人がこんなことを言った」「あの人にこんなことをされた」と誰かに言いつけると、変な連帯ができる。そんなきっかけで簡単にいじめが起きています。

いじめというのはみずからを認めてほしい人がやることとです。幸せな人はいじめなんてしません。ところが、いまいじめはどこにでも起きます。誰の身にも起きる可能性があります。ということは、この国の人々は本当の幸せとはほど遠いところにいるということなのです。

本人にはいじめている自覚がなくても、実際はいじめになってしまうこともあります。人それぞれの捉《とら》え方がありますから、ここから先はいじめで、この手前ならいじめではないというような明確な線引きはありません。そういった意味では、いじめをなくしていくためにも、私たち自身が選択しないとダメなのです。

いま以上に監視管理された、ロボットのような人生を生きたくなければ、とにかく主体性を持つ。そしてその責任をきちんと取る。そういったリハビリから始めるしかないのです。

教室をひとつの村に

いじめの問題をなくしていくには、「しっかりと主体性を持って生きることだ」という指導が何よりも重要です。とはいえ、精神的なものは一朝一夕に変えられないこともわかります。貧しくなったこころのあり方を変えるには、長期的な取り組みが必要だと私は思います。

具体的な策としては、退職教員をボランティア採用で雇い入れることを提案します。おじいさん先生、おばあさん先生をたくさん学校に送り込むのです。先生は何人いたっていいと思いませんか？　副担任、副々担任と、作ればいくらでもポジションはあります。子どもの人数だけ先生がいていいと思うんです。理想は、マンツーマンの関係です。

二〇〇七年問題をはじめ、団塊の世代の大量定年退職についていろいろ言われていますが、団塊の世代は、教育荒廃の責任を取るべきだと思います。悠々自適のスローライフなんて私はしてほしくないのです。

大勢雇って、未熟な先生がついたら大変だという心配は無用です。たとえばマンツーマン方式にすれば、二十人のクラスには二十人の先生がいることになります。担任を含めたら二十一人の先生がいるわけです。二十人も先生がいたら、未熟な先生がいてもみんなが何とかします。切磋琢磨《せっさたくま》し合うわけですから、フォローが利きます。小家族、もっと言うなら、クラス全体、学校全体でひとつの村みたいな環境をつくってしまえばいいのです。

二十人の生徒に二十人の先生というのは大げさとしても、先生が生徒を自分の家族や孫みたいな密接な存在だと思えれば、見方も愛着も変わるでしょう。先生がふえると、自然といろいろなことに目が届くようになるのです。

生徒のほうも、自分に特別に目を掛けてくれる先生に対して、特別なつながりを感じるはずです。すると「家でぶたれた」「親とケンカした」など、いろいろなことを訴えてくるようになります。

核家族化の弊害

世代間コミュニケーションの断絶は、大家族で暮らさなくなったことに端を発します。核家族化は、実は物質主義的価値観がもたらしたものなのです。

仕事の状況で田舎には住めない、親を呼ぶほどの広々した家は持てないなど、いろいろ言い分はあるのでしょうが、核家族化がこれほど広がったいちばんの理由は、単におじいさんおばあさんが邪魔だからです。嫁（婿）として、あるいは夫婦として、自分たちだけの都合なのです。

昭和の時代には、〈家つき、カーつき、ババ抜き〉が幸せの条件と言われたことがあります。持ち家でマイカーがあって、年老いた舅姑の面倒は見なくていい夫がいちばん、というわけです。また、結婚して数年経つと、夫も鬱陶《うっとう》しく思えてきます。「亭主元気で留守がいい」なんてCMがバカ受けしたりもしました。

しかし、母子、父子がずっと密室の中にいたら、キレるのも道理なのです。どんなに愛する人とでも閉じられた空間に四六時中一緒にいれば諍《いさか》いが起きることもあるでしょう。親子といえども人間関係です。だから虐待が起きる可能性はあるわけです。

核家族は、精神的には決していいことではありません。虐待が起きた若い親子には、「実家に戻りなさい」「大家族の中で暮らしなさい」とアドバイスしてあげるべきだと思うのです。専門家はなぜそれを指摘しないのでしょうか。密室の中にずっと閉じこもっているとおかしくなるのは、生理学で考えれば当たり前のことなのです。「年寄りがいないほうがラクチン」「都会で暮らすほうが便利」と、易《やす》きに流れていって、心の不幸をどんどんつくってしまっているのが現代なのです。

闇から光へ

この核家族化を引っ張ったのが、団塊の世代です。ニューファミリーという、それまでの日本にはなかった家父長制的ではない、明るく理解のある家族を形成しました。

しかし、そうした自由度がもたらしたものは、むしろ日本社会の不穏さでした。その意味で、私は最も罪深いのはその団塊の世代だと思っています。団塊の世代は精神的独裁者のようだと思っています。

もちろん、類魂の法則からいって、団塊の世代だけを憎むことはできません。私も、それ以外の世代の誰であってもです。でも、「罪を贖《あがな》いなさい。償《つぐな》いなさい」と進言することはできます。

因果の法則が、ここにはあります。大人が子どもたちになぐられてお金を盗られたり、殺されたりする事件は、カルマです。

団塊ジュニアのニートの問題も、カルマの法則で説明できます。団塊世代の親たちは、子どもがブラブラ遊んでいても、問題さえ起こさないでいてくれればいいからとお金だけ与えて、本当の愛情を与えていません。飼い犬と一緒、いえ、飼い犬のほうがかわいがられているくらいです。散歩もしてもらえるし、スキンシップもあります。ニートや引きこもりの子どもたちは、つなぎっぱなしのまま放っておかれているのです。

そして、そういう問題を抱えた家に限って親が金銭的には恵まれていたり、物質的価値観では立派だったりするのです。

実際に起きた少女誘拐監禁などの事件を覚えている人は多いでしょう。それに類する事件は多発しています。その犯人は前科もあったのに、すべてお金で示談にしてきました。彼は結局おカネやモノだけ与えられたけれども愛を与えられずに育った、かわいそうな人なのです。

それはこれまでの日本人が行ってきたことの典型的な結果といえると思います。

第二次世界大戦の敗戦から始まった、物質的価値観の軌跡をご説明しました。

核家族化が進み、世代間のコミュニケーションが断絶して、先人たちの知恵も失われつつあります。わたしたちは、まるで深い闇の中にいるかのようです。しかしながら先に述べたように、〈夜明け前の闇がいちばん深い〉のです。その闇を光で満たし、良き未来を創造していくために、わたしたちは〈いま・ここ〉を少しずつでも良い方向へ導いていかねばなりません。

未来を創るうえで、ここに述べた戦後日本の歴史を認識していただくことは非常に重要なことなのです。状況を認識し、自分の立ち位置を把握して、そのうえで進む道を見つけなければ、〈未来〉とは単なる絵空事で、「ああなりたい、こうなりたい」と思うだけの欲望の羅列《られつ》にすぎなくなります。それでは現実に訪れるのは代わり映えのしない毎日です。誰かがやってくるのを待つのではなく、自分から動いてゆくこと、それが未来につながります。自分自身の依存心に気づき、自分主体性を持って生きるリハビリを始めることから、本当の未来創りは始まるのです。

あとがき

このままでは人類は滅亡してしまう、という悲観的な考えがあります。このままでいったら世の中はめちゃめちゃになる、ひどい世界になるという悲観論はもっともらしく感じますが、私は、滅亡しないと断言できます。

なぜならば、滅亡するほど状況が良くなっていないからです。この世は学びの学校です。学校はもうなくなってもいい、もう霊界だけでいいとなれば滅亡もあるのかもしれませんが、イエスが生まれてから二〇〇〇年を経ましたが、人類はどこが変わったでしょうか。学びは済んだと言えるでしょうか。

はっきり言って「人類が滅亡する」という考え自体、傲慢なのです。そんな楽はさせないよ、というのが霊界だと思います。

滅亡を考えるのは楽です。「どうしてもダメなら終わらせてしまえばいい」という甘えのようなものです。しかし、現実には自分たちの力で良くしていかなくてはいけません。「滅亡なんてできないよ」と言うほうが逆につらいのです。でも、スピリチュアリズムでは、常にしんどいほう、大変なほうが本当の答えです。

この本で述べた中には、未来を創るためのキーワードがいくつもあったと思います。

〈妄想力と想像力の違い〉
〈小我と大我の見極め〉
〈怠惰はやめる〉などです。

責任主体の未来を創るには、そういうキーワードを噛みしめ、クリアしてください。それがより豊かな未来実現のポイントです。

いちばん簡単に回避できるのは、〈怠惰〉です。つらさや試練を嘆くことは簡単ですが、嘆くときには人は止まっています。行動しながら嘆く人はいません。行動をとっているときは嘆くひまもないのです。怠惰の逆の状態が、〈無我夢中〉です。夢の中に自分自身をすっかり没頭させているということですから、とてもいい言葉です。この精神こそが未来をステップアップさせます。

いまはある意味、余裕がありすぎる時代なのかもしれません。コンビニエンスストア、ファーストフード、インスタントという言葉は先の二十世紀に生まれました。その手軽さと簡便さの魔力に人間はとらわれて、いまや自分の人生までコンビニエントでインスタントのものを望むようになってしまいました。でも、そこにごちそうはないのです。コンビニエンスストアで買う食べ物は、背伸びしても、所詮《しょせん》そこそこの味でしかないように。

失敗を恐れないことです。何歳になっても可能性は消えません。試行錯誤も恐れないことです。料理は何度も作っていくうちにうまくなります。いい味わいが出てくるし、自分なりのコツもわかってきます。それと同じです。失敗を恐れず、試行錯誤を繰り返せばいいのです。結婚離婚だって、どうしようなどと指をくわえていないで、やってみればいいのです。そこから何か学びがあります。

殺伐《さつばつ》としたこの時代のおおもとは、戦争だったと私は思います。戦争は弱いたましいをつくりあげました。当たり前のように依存し、人生は自分が主体であることを忘れさせました。原爆は、被爆者を生んだだけでなく、別の被爆をもつくり出したように思えます。戦争は本当に罪つくりです。

そういう意味で、私は日本を戦争へ導いた責任者たちに問題があるのだと思います。その方たちも、時代や社会に翻弄《ほんろう》されていたのかもしれません。しかし、国の代表者は最後に裁かれることも覚悟しているくらいの人でなければならないのではないでしょうか。

もちろん人生にはいろいろな苦難や難題が待ち受けています。しかし、それをどう乗り越え、たましいを鍛えていくかなのです。常に因《いん》・縁《ねん》・果《か》という言葉を忘れてはいけません。原因があって、縁で結ばれて、結果が出てくる。必ず種蒔《たねま》きが影響している、それが人生です。

自分は恵まれない、豊かな素材ではなかったという悲観も間違いです。どんな人にもふさわしい役目があり、輝く未来を創り出すことはできます。大切なのは、自分という素材をきちんと理解すること。それを生かす料理は何かと考え、努力することです。

いちばん大切なのは、人生や未来を創り出すのは自分なのだという意識を持つことです。自分自身が〈救世主〉になることです。いたずらに将来を憂うのは、未熟な考え方です。

何度でも申し上げましょう。夜明け前の闇がいちばん深いのです。救いがないようにさえ感じられる現在はある意味で膿《うみ》を出す時期なのです。膿を出し切り、それを見届けながら、次の未来に向かって良きカルマを蒔《ま》きましょう。良きカルマとは、〈愛〉の種です。愛の種を蒔くために、ひとりひとりがいまこそ行動すべきときなのです。

江原啓之プロフィール

1964年12月生まれ。
1989年スピリチュアリズム研究所を設立。
主要な作品として、
【書籍】『人はなぜ生まれいかに生きるのか』（ハート出版）、『幸運を引きよせるスピリチュアル・ブック』『江原啓之のスピリチュアル子育て』（三笠書房）、『スピリチュアル幸運百科』『スピリチュアル夢百科』（主婦と生活社）、『スピリチュアルメッセージ』シリーズ（飛鳥新社）、『子どもが危ない！』『いのちが危ない！』（集英社）、『苦難の乗り越え方』（PARCO出版）
【DVD】『江原啓之のスピリチュアル バイブル』シリーズ（集英社）
【CD】『スピリチュアル ヴォイス』『スピリチュアル エナジー』（Sony Music Direct）『小さな奇跡』、『愛の詩』（Sony Music Records）などがある。
テレビ・ラジオ・雑誌連載・講演会をはじめ幅広く活動。また、音楽と癒しのエンターテイメント、舞台『江原啓之スピリチュアル・ヴォイス』公演によるアーティストとしての活動も行っている。

現在、個人相談は行っておりません。
また、お手紙等によるご相談もお受けしておりません。

公式サイト　http://www.ehara-hiroyuki.com/
携帯サイト　http://ehara.tv/

未来《みらい》の創《つく》り方《かた》

発行日　二〇〇七年四月二十三日　第一刷

著　者　江《え》原《はら》啓之《ひろゆき》

発行人　伊東　勇

編　集　藤本真佐夫

発行所　株式会社パルコ　エンタテインメント事業局　出版担当

東京都渋谷区宇田川町十五ノ一

電話〇三・三四七七・五七五五

http://www.parco-publishing.jp/

印刷・製本　株式会社　文化カラー印刷

ISBN 978-4-89194-752-1　C 0095